Q&A Diary; 3년 후 나에게

세상에서 가장 작은 미술관

최미연(미대엄마) 지음

M o m ' s   A r t   M u s e u m

유니온북

PROLOGUE

하루에 5분 만이라도 짧지만 의미 있는 시간을 보내는 공간이었으면 좋겠습니다.
하루 5분이 쌓여 한 달이 되고, 1년이 되고 단단한 3년의 기록이 되었으면 좋겠습니다.
온종일 아이를 위해 시간을 보냈을 엄마들에게 나를 위한 하루 5분을 드리고 싶습니다.

이 책을 쓰면서 수많은 그림과 함께 보낸 시간이 떠오릅니다.
힘들고 지친 날 책상 앞에 앉으면 내 마음을 읽어주는 듯한 그림이 보였고,
슬픈 날 눈물을 닦고 책상 앞에 앉으면 나를 토닥여 주는 그림이 있었습니다.
아무 말 없이 어깨를 두드려주는 친구처럼 그림은 언제나 내 옆을 지켜 주었습니다.

누군가도 나처럼 그림으로 위로받고, 공감하고, 잠시 숨 고르기 할 수 있길 바라는 마음으로
이 책을 만들었습니다.
하루하루의 일상에 유난히 고단하고 힘든 날에, 창피한 비밀도, 혼자만 담아둔 속마음까지도
그림 한 점과 나누다 보면 이내 고요해지는 마음을 느껴보길 바랍니다.

그림은 언제나 당신의 편에서 당신의 이야기를 들어줄 테니….
#당신의육아를응원합니다

미대엄마 **최미연**

나의 10계명

1.

2.

3.

4.

5.

6.

7.

8.

9.

10.

CONTENTS

1년 12개월을 12개의 키워드(시작, 희망, 지혜, 활력, 사랑, 아름다움, 즐거움, 생기, 믿음, 기대, 감사, 평온)로 나누어 명화를 선별하였습니다. 365점의 명화를 감상하며 질문에 대한 나만의 답을 기록하면서 일상을 돌아보시길 바랍니다. 명화와 함께 하루하루 성장하는 3년의 소중한 시간을 기록으로 완성해 보세요.

HOW TO USE THIS BOOK

그림과 함께 하는 하루 5분 Q&A 시간

하루에 5분 만이라도 혼자만의 시간을 내서 그림을 감상하고 질문에 대한 답을 써보면서 내 마음속 생각들을 정리해 보세요.

- 먼저, 편안한 마음으로 그림을 감상하세요. 그림을 볼 때는 작가의 의도나 무엇을 발견하려고 굳이 애쓰지 않아도 좋아요. 그림에 시선을 두고 가만히 떠오르는 감정 그대로를 느껴보세요. 그리고 작품의 제목을 살펴본 후에 작품 이야기를 보면서 그림에 대한 느낌을 정리해 보세요.
  * 작품의 제목은 작가의 감성과 의도를 그대로 전달하고자 원어로 담았습니다.
- 그림을 감상한 후에는 주어진 질문을 읽고 떠오르는 생각을 기록해 보세요. 정해진 답은 없으니 오로지 나만의 생각과 시선으로 써보세요.

20   년 꿈과 목표

20   년 꿈과 목표

20 년 꿈과 목표

나에게 하고 싶은 말

20 년의 나에게

20 년의 나에게

20 년의 나에게

아이(가족)와 함께 해보고 싶은 버킷리스트

1.

2.

3.

4.

5.

6.

7.

8.

9.

10.

January 1

'새로운 시간 속에는
새로운 마음을 담아야 한다.'

아우렐리우스 아우구스티누스
Aurelius Augustinus

January

01

첫 날입니다.
새롭게 다짐한 첫 걸음이 있나요?

20 .

20 .

20 .

자매가 서로 손을 꼭 잡고 한 발자국, 한 발자국 조심스레 첫 발걸음을 내딛고 있는 그림입니다. 두 손을 꼭 맞잡은 모습이 왠지 대견해 보이네요. 그림처럼 첫 발자국을 내디뎌 보세요.

Cecilia Beaux, *Dorothea and Francesca*, 1898
©The Art Institute of Chicago

January

02

현재 가장
만족스러운 점은 무엇인가요?

20 .

20 .

20 .

William Turner, *An April Shower : A View from Binsey Ferry Near Oxford, Looking Towards Port Meadow and Godstow*, 1842 ©The Art Institute of Chicago

수채화 특유의 투명한 매력이 한껏 표현된 작품이에요. 하늘과 물에 비친 구름과 무지개가 투명함을 한껏 올려주네요. 풍경 속 사람들과 동물들을 하나하나 자세히 보면서 그림 속 풍경으로 들어가 보세요.

January

03

누군가와 함께 나누고 싶은 고민이 있다면?

20 .

20 .

20 .

깊은 생각에 빠진 신사가 고개를 숙인 채 풀밭을 걸어가고 있어요. 어두운 배경 속에서 춤을 추며 다가오는 여인들은 그의 관심을 끌고자 하지만 외면한 채 길을 걷는 남자. 묘한 분위기의 이 그림을 보면 어떤 느낌이 드나요? 그림 속 어떤 인물에 감정을 이입해 봐도 좋고 3자의 입장에서 상황을 바라보아도 좋아요.

Maximilian Lenz, *A World*, 1899
©Museum of Fine Arts Budapest

January

04

겨울이 오면 생각나는
냄새가 있나요?

George Wesley Bellows, *Love of Winter*, 1914
©The Art Institute of Chicago

20 .

20 .

20 . .

1914년 뉴욕을 휩쓴 눈보라가 지나간 후의 야외 스케이트장의 풍경을 강한 붓 터치로 표현한 그림이에요. 눈과 대조를 이루는 컬러감이 겨울의 느낌을 한껏 살려주는 듯합니다. 마냥 신난 아이들의 웃음소리가 들리는 것 같지 않나요?

January

05

스케치 중인 먼 미래가 있나요?

20 .

20 .

20 .

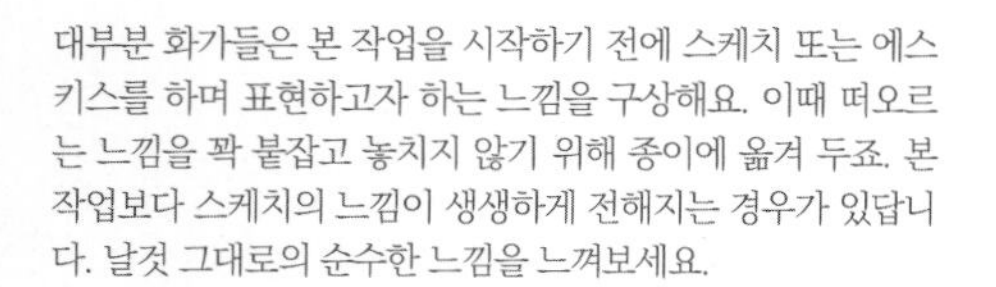

대부분 화가들은 본 작업을 시작하기 전에 스케치 또는 에스키스를 하며 표현하고자 하는 느낌을 구상해요. 이때 떠오르는 느낌을 꽉 붙잡고 놓치지 않기 위해 종이에 옮겨 두죠. 본 작업보다 스케치의 느낌이 생생하게 전해지는 경우가 있답니다. 날것 그대로의 순수한 느낌을 느껴보세요.

Charles François Daubigny, *Landscape with a Rainbow*, c. 1871

거울 속 내 모습을 볼 때
가장 많이 하는 생각은 무엇인가요?

Berthe Morisot, *Woman at Her Toilette*, 1875/80
©The Art Institute of Chicago

20 .

20 .

20 .

거울 앞에 앉은 여자의 뒷모습. 얼굴이 보이지 않아 더 궁금해지네요. 혼합색으로 표현하여 다소 차분한 느낌이 드는 작품이에요. 그림 속 여자처럼 거울에 얼굴을 비춰보고 스스로를 가꾸는 시간을 보내보는 건 어떨까요?

January

07

3분간 앞에 있는 사물을 관찰해 보세요. 평소에 보지 못한 것을 찾으셨나요?

20 .

20 .

20 .

떨리는 손끝으로 한 땀 한 땀 표현한 긴장감이 그림을 넘어서까지 전해지네요. 이런 세밀화를 보면 잠시 숨을 멈추게 돼요. 세밀화를 그리는 화가의 시선으로 낯익은 주변의 사물들을 아주 자세히 관찰하는 시간을 가져보세요. 당연했던 것들이 낯설게 다가오는 경험을 할 수 있어요.

Robert Havell, *Male Bay Breasted Warbler*, 1829
©The Art Institute of Chicago

Claude Monet, *Water Lilies*, 1906

January

08

지금보다
잘 해내고 싶은 것은 무엇인가요?

20 .

20 .

20 .

'나는 매일 새로운 것을 그리고 있어요. 그리고 어느 날 문득 지금까지 보지 못했던 것을 발견하기도 합니다. 매우 어려운 일이지만 잘해 나가고 있어요.'
- 클로드 모네

January

09

계속해서 배우고 싶은 분야가 있다면
무엇인가요?

20 .

20 .

20 .

단순한 선, 면으로 이루어진 피에트 몬드리안의 스케치. 선과 색 사이의 조화로움을 찾기 위해 부단한 연구를 이어 온 화가입니다. 작품 뒤 숨은 그림자 같은 아이디어 스케치를 보면서 몬드리안의 열정을 고스란히 느껴보세요.

Piet Mondrian, *Study for a Composition*, 1940/41
©The Art Institute of Chicago

School of William Matthew Prior, *Portrait of Fred Adelbert Haywood*, 1848

January

10

어릴 적 기억나는 내 모습이 있나요?

20 .

20 .

20 .

붉은색 옷과 검은색의 커튼이 아이의 피부를 더 뽀얗게 보이게 하네요. 그림 속 아이의 볼록한 볼을 보니 엄마 미소가 절로 지어져요. 아이를 낳고 나서 세상의 모든 아이들이 사랑스러워 보이는 경험을 하지 않으셨나요?

January

11

가족을 생각하면
어떤 기분이 드나요?

20 .

20 .

20 .

구멍 난 양말을 손으로 하나하나 꿰매고 있는 여자의 모습이 담긴 그림이에요. 꼭 다문 입과 편하게 내려보는 눈, 정성스러운 손길에서 편안한 사랑이 느껴지는 것 같아요. 그림을 보며 붉은색 요소들을 따라 시선을 옮겨보세요. 구석구석 재미있는 요소들을 발견할 수 있답니다.

Enoch Wood Perry, *A Month's Darning*, 1876

Martin Johnson Heade, *Magnolias on Light Blue Velvet Cloth*, 1885/95

January

12

내가 인정받고 싶은 것은 무엇인가요?

20 .

20 .

20 .

선명한 꽃이 그림을 뚫고 나올 것 같지 않나요? 열대지방을 여행하며 그림을 그렸던 화가 마틴 존슨 히드. 그가 살아 있는 동안에는 벼룩시장 같은 곳에서 작품이 거래되었다고 해요. 세상을 떠나고 나서야 미술 사학자와 콜렉터들의 주목을 받으며 실력을 인정받았답니다.

January

13

요즘 나에게
버거운 것이 있나요?

20 .

20 .

20 .

아메데오 모딜리아니는 70여 점 이상의 '카리아티드' 드로잉 작품을 남긴 것으로 유명해요. '카리아티드'는 고대 그리스 신전 건축에서 여인상으로 된 돌기둥으로, 건축물을 지지하는 보 역할을 했다고 합니다. 화가는 카리아티드를 그릴 때 어떤 감정으로 완성했을까요?

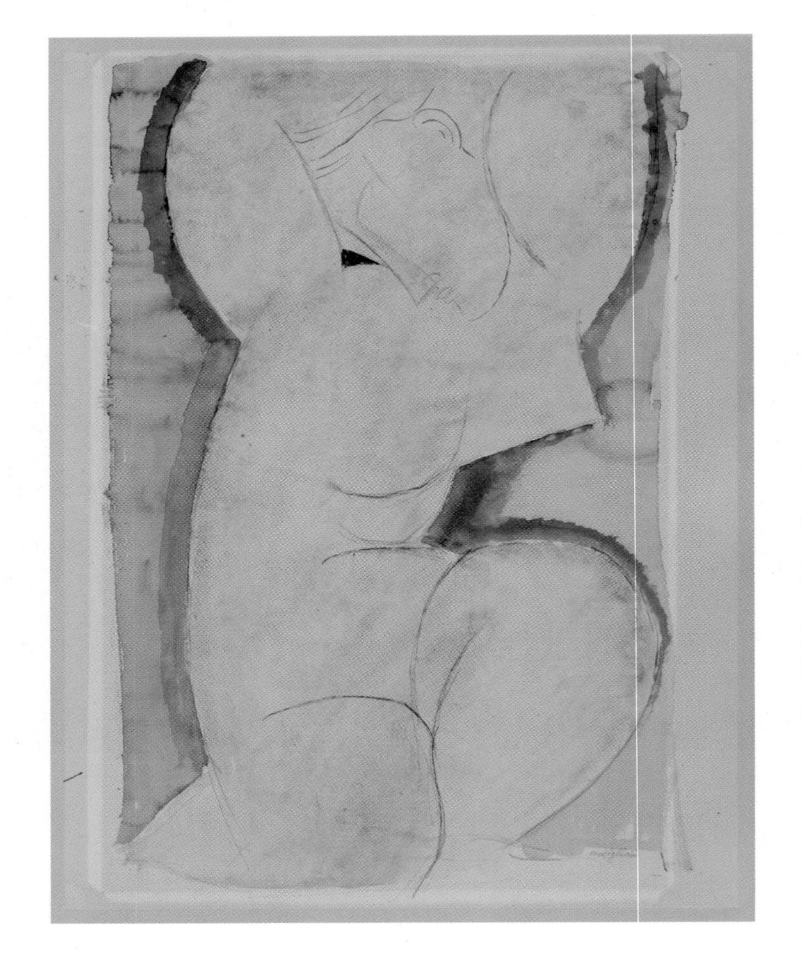

Amedeo Modigliani, *Caryatid,* c. 1913

January

14

내 주변을 한 문장으로
정리해 본다면?

20 .

20 .

20 .

Charles Spencer Humphreys, *George Franklin Archer and the Archer Residence*, 1871

화가는 작업실이 마구 가게와 가까이 있었고, 말을 볼 기회가 많아 말을 그리게 되었다고 해요. 때로는 주변의 환경이 나에게 많은 영향을 주기도 하죠. 내 주변 환경에 대해 생각해 보는 하루를 보내보세요.

January

15

기회가 된다면
한 번쯤 살아보고 싶은 곳은?

20 .

20 .

20 .

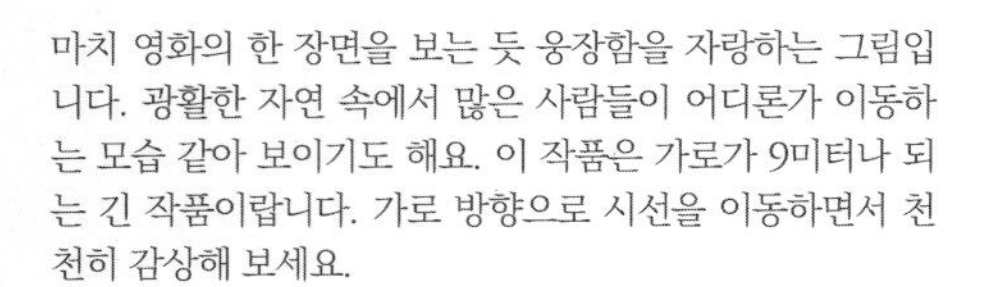
마치 영화의 한 장면을 보는 듯 웅장함을 자랑하는 그림입니다. 광활한 자연 속에서 많은 사람들이 어디론가 이동하는 모습 같아 보이기도 해요. 이 작품은 가로가 9미터나 되는 긴 작품이랍니다. 가로 방향으로 시선을 이동하면서 천천히 감상해 보세요.

Artist unknown, *A Hunt in the Mountains of Heaven*, Late Ming /early Qing dynasty, 17th century

Max Kurzweil, *Dame in Gelb*, 1899
©Wien Museum

January

16

울적한 기분이 드는 순간이 있나요?

20 .

20 .

20 .

그림 속 노란 드레스를 입은 여인은 화가의 아내입니다. 관람자를 똑바로 응시하는 시선과 여유 있는 포즈가 압도적인 작품이죠. 포즈와는 달리 물기에 젖은 눈, 정돈되지 않은 머리카락, 한쪽으로 치우친 고개는 어떤 의미로 느껴지나요?

January

17

'이것만은 꼭' 하는 나만의 규칙이 있다면?

20 .

20 .

20 .

'모든 풍경화는 정사각형에! 풍경화에는 절대 인물을 넣지 않고!' 장식적인 느낌을 한껏 살린 작품을 주로 그렸던 구스타프 클림트는 풍경화를 그릴 때 이 규칙을 꼭 고수했다고 합니다. 구스타프 클림트처럼 나만의 규칙을 만들어 보는 건 어떨까요?

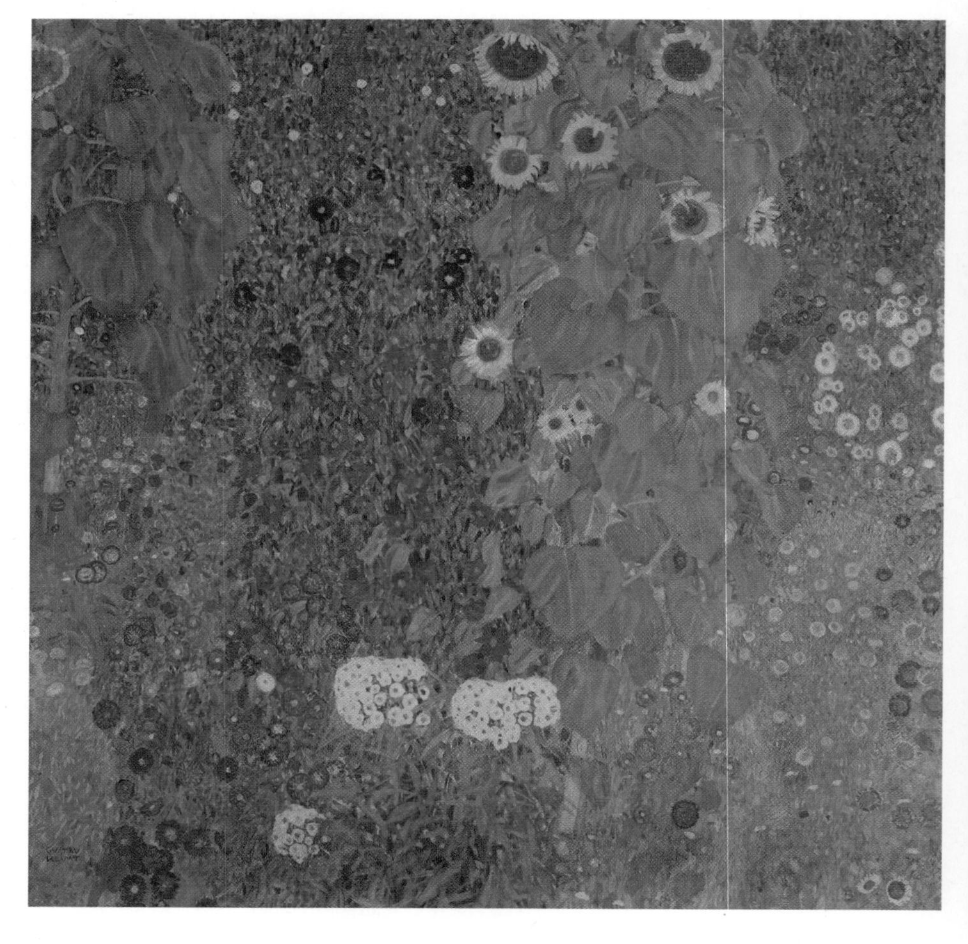

Gustav Klimt, *Garden With Sunflowers*, 1906

Gerard ter Borch, *The Music Lesson*, c. 1670
©The Art Institute of Chicago

January

18

꾸준히 배우고 싶은
무언가가 있나요?

20 .

20 .

20 .

악기를 다루는 손 모양, 악보를 보면서 살짝 벌린 입 그리고 선생님의 표정과 손끝, 시선까지…. 화가의 예리한 관찰력에 감탄이 나오는 작품이네요. 숨은그림찾기하듯 그림 곳곳에 숨겨진 장치들을 찾아보며 또 다른 이야기를 발견해 보세요.

January

19

아이가 가장 좋아하는
놀이는 무엇인가요?

20 .

20 .

20 .

Pierre-Auguste Renoir, *Child with Toys – Gabrielle and the Artist's Son*, 1895/96

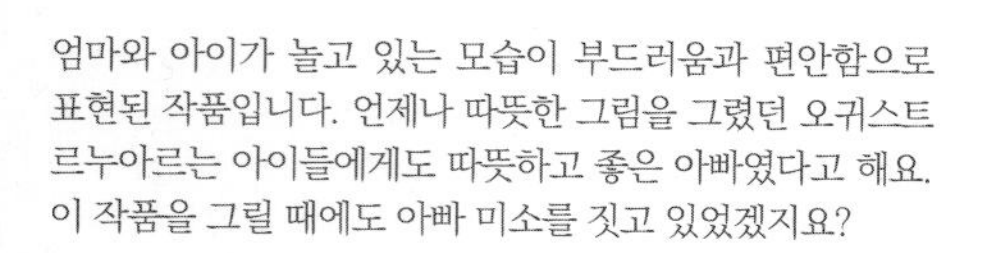

엄마와 아이가 놀고 있는 모습이 부드러움과 편안함으로 표현된 작품입니다. 언제나 따뜻한 그림을 그렸던 오귀스트 르누아르는 아이들에게도 따뜻하고 좋은 아빠였다고 해요. 이 작품을 그릴 때에도 아빠 미소를 짓고 있었겠지요?

Camille Pissarro, *Woman and Child at the Well*, 1882

January

20

비밀을 털어놓을 수 있는 사람은 누구인가요?

20 .

20 .

20 .

과장된 신화나 웅장함보다 자연 속의 인물을 표현하는 것을 중요하게 생각했던 화가 카미유 피사로. 세상의 변화를 따뜻한 시선으로 보고 그려냈던 작품을 감상해 보세요.

January

21

살면서
상처가 되었던 말이 있나요?

20　　　.

20　　　.

20　　　.

클로드 모네는 그림에 검은색을 쓰는 것을 병적으로 싫어했다고 해요. 어두운 곳을 나타낼 때는 여러 색을 섞어 검은색을 만들어서 표현했다고 하죠. 클로드 모네의 장례식 때 관을 검은색 천으로 덮으려 하자 친구가 검은 천을 걷어내며 '모네에게 검은색은 없다!'고 말했다는 이야기가 있답니다.

Claude Monet, *Stack of Wheat*, 1890/91

Albert Schindler, *Portrait of Emmanuel Rio*, 1836
©The Art Institute of Chicago

January

22

올해 잘 해내고 싶은 일은?

20 .

20 .

20 .

어두운 표정의 인물과 뒤로 보이는 먹구름. 힘없이 앉아 있는 그림 속 인물은 어딘가를 응시하고 있어요. 놓지 않으려는 듯 악기를 꽉 잡고 있는 손에서 다부진 의지가 느껴지기도 해요. 연주자는 무슨 생각을 하고 있는 걸까요? 그림을 감상하며 나의 감정을 이입해 보는 것도 좋고, 객관적인 요소들을 단순히 분석해 보는 것도 좋아요.

January

23

나를 위해서
희생하는 사람이 있나요?

20 .

20 .

20 .

'ㅅ' 모양으로 하늘을 나는 기러기들을 본 적이 있나요? 선두에 있는 기러기가 뒤에서 따라오는 기러기에게 도움을 주며 날아간다고 해요. 무리의 기러기가 다치면 상처 난 친구를 도와주는 습성도 있다고 합니다. 거센 바람을 날갯짓으로 막아주고 희생하는 기러기들이 떠오르는 그림이네요.

Theodor Esbern Philipsen, *Les Oies*, 1897

John Henry Twachtman, *Icebound*, c. 1889

January

24

내면의 힘을 기르는 데 필요한 것은?

20 .

20 .

20 .

'눈이 올 때보다 더 사랑스러운 자연의 모습은 없다.'
- 존 헨리 트와츠먼

January

25

생각이 많아 머리가
복잡할 때는 어떻게 하나요?

20 .

20 .

20 .

정돈되고 절제된 느낌의 정물화를 볼 때면 복잡한 일들이 차분히 정리되는 느낌이 들어요. 차분한 색채의 작품을 감상하며 혼자만의 조용한 시간을 가져보세요.

Marsden Hartley, *Movement No. 10*, 1917

Mary Cassatt, *The Coiffure*, 1890/91
©National Gallery of Canada

January

26

온전히 나만을 위해
새롭게 시작하고 싶은 것 3가지는?

20 .

20 .

20 .

샤워 후 거울 앞에서 머리를 말리는 기분 좋은 순간 어떤 생각을 하시나요? 씻고 나왔다는 것이 청결을 의미하기도 하지만 새로움이라는 상징적인 의미를 갖기도 하는 것 같아요. 매일 새로 시작할 수 있음에 감사해요.

January

27

그림 속 숲에서
어떤 소리가 들릴 것 같나요?

20 .

20 .

20 .

'나무는 꽃을 버려야 열매를 맺고
강물은 강을 버려야 바다에 이른다.'
- 화엄경

Pierre-Auguste Renoir, *Grove of Trees*, 1888/90
©The Art Institute of Chicago

Eugen von Blaas, *The Elvesdropper*, 1906

January

28

궁금한 세상이 있나요?

20 .

20 .

20 .

작품 속 여자가 문틈 사이로 무언가 들여다보는 모습에서 긴장감이 느껴지네요. 긴 세로의 구도, 위아래로 열린 문틈, 서 있는 여자, 그리고 배경 속 위로 향한 나무까지. 세로 구도의 요소들이 긴장을 주어 궁금증을 자아내는 작품입니다.

January

29

함께 여행을
떠나고 싶은 사람이 있나요?

20 .

20 .

20 .

깔끔하게 딱 떨어지는 외곽선과 절제된 컬러에서 화가의 성격이 느껴지는 것 같아요. 그림을 보면 화가의 성격이나 내면을 몰래 들여다볼 수 있답니다. 가끔은 혼자 상상의 나래를 펼쳐보는 건 어떨까요?

Cúnsolo, Victor, *La vuelta de Rocha*, 1929

François Alfred Delobbe, *Woman with Faggots*

January

30

지친 순간 나를 위로해 주는 것은 무엇인가요?

20 .

20 .

20 .

허리에 가득 들고 있는 나무들을 보니 힘들게 일하고 온 직후인 것 같아요. 그림 속 여자 가슴 가운데 있는 민들레꽃이 눈에 띄네요. 화가는 이 사랑스러운 순간을 놓치고 싶지 않았나 봅니다. 나무를 하러 간 숲에서 예쁜 꽃을 보고 기뻐했을 모습을 떠올리며 그린 듯한 그림입니다.

January

31

우리 가족은
어떤 길로 나아가고 있나요?

20 .

20 .

20 .

상황을 세밀하게 그려낸 작품들은 이야깃거리가 많아서 아이들과 함께 감상하기 좋아요. 인물의 표정을 통해 기분을 유추해 보고 배경이나 소품을 통해 이야기의 단서를 얻을 수 있죠. 오늘은 아이와 함께 그림을 보며 이런저런 이야기를 나누어 보아도 좋겠네요.

François Alfred Delobbe, *Italian Peasant Family*

February

'희망은 볼 수 없는 것을 보고,
만져질 수 없는 것을 느끼고,
불가능한 것을 이룬다.'

헬렌 켈러
Helen Keller

February

01

스스로
우아하다고 느끼는 순간이 있나요?

20 .

20 .

20 .

멋스러운 체크무늬 소품과 고급스러운 드레스, 커다란 모자, 한껏 멋을 낸 머리에 여유로운 표정을 보니 보는 사람도 우아해지는 기분이 드는 그림입니다. 붓 터치가 보이지 않을 정도로 부드럽게 표현되어 있어요. 이런 표현들이 고급스러운 분위기를 연출하는 것 같아요.

Barthélemy Vieillevoye, *Woman Sketching in a Landscape*, c. 1830
©Clack Art Institute

India Rajasthan, Bundi, *Dhanasri Ragini*, 18th century

February

02

원하는 대로 그려지는 연필이 있다면
무엇을 그려보고 싶나요?

20 .

20 .

20 .

종이에 마음 가는 대로 그림을 그려본 적이 있나요? 얽매임 없이 눈에 보이는 것을 쓱쓱 그려보며 자유로움을 느껴보세요.

February

03

나와 남편의
닮은 곳을 찾아보세요!

20 .

20 .

20 .

위로 뾰족하게 올라간 남자의 눈과 아래로 축 처진 여자의 눈, 뾰족한 남자의 코와 도톰한 여자의 코, 아주 작은 남자의 입과 커다란 여자의 입, 시원한 남자의 이마와 좁은 여자의 이마. 화가의 특별한 의도가 있었을까요? 전혀 다른 얼굴이지만 그림 속의 두 사람은 제법 잘 어울려 보이네요.

Amedeo Modigliani, *Jacques and Berthe Lipchitz*, 1916
©The Art Institute of Chicago

Mary L. Gow, *Playing with Her Dolls*, 1897

February

04

그림으로 영원히 남겨두고 싶은 아이의 순간은?

20 .

20 .

20 .

거울에 비친 인형과 자신의 모습을 번갈아 보면서 놀고 있는 사랑스러운 아이를 그린 작품입니다. 종알종알 이야기하며 공주도 되어보고 언니도 되어보면서 시간 가는 줄 모르고 놀고 있네요. 그림을 통해 125년 전 아이들도 지금과 비슷하게 놀았다는 것을 알 수 있어요.

February

05

주변을 둘러보세요.
가장 편안한 장소는 어디인가요?

20 .

20 .

20 .

동그랗게 말린 앞발과 축 처진 꼬리, 추운지 잔뜩 움츠린 목과 당장이라도 감길 듯한 눈. 폭신한 소파 위에 편안하게 앉아있는 고양이 그림을 보니 스르륵 잠이 들 것 같아요.

Théophile-Alexandre Steinlen, *Winter : Cat on a Cushion*, 1909

Albert Besnard, *Woman's Head*, c. 1890
©The Art Institute of Chicago

February
06

잠들기 전에
자주 하는 생각은 무엇인가요?

20 .

20 .

20 .

'피곤한 정신으로는 계획을 제대로 세울 수 없다. 먼저 잠을 청한 후, 나중에 계획하라.'
- 월터 라이슈

February

07

특별히 생각나는 어릴 적 기억은 무엇인가요?

20 .

20 .

20 .

엄마와 아이의 따뜻하고 아름다운 순간을 유독 많이 그렸던 화가 마리 카사트. 아이는 없었지만, 육아의 아름다운 순간을 담아내려고 노력한 따뜻한 시선이 지금까지도 느껴집니다. 이것이 그림의 힘 아닐까요?

Mary Cassatt, *The Bath*, 1890/91

Vincent van Gogh, *The Bedroom*, 1889

February

08

그림 속 방 안에서 혼자
하루를 보낸다면
가장 하고 싶은 것은?

20 .

20 .

20 .

'병이 나은 후 그림들을 다시 봤을 때 가장 마음에 들었던 것은 침실 그림이었어.'
- 빈센트 반 고흐

빈센트 반 고흐의 걸작 중 하나로 손꼽히는 그림이죠. 화가가 사랑했던 '노란 집(Yellow House)' 안의 침실을 둘러 보세요.

February

09

얼굴을 그려주고 싶은 사람은 누구인가요?

20 .

20 .

20 .

마리 카사트는 친구나 친척, 가까운 지인들을 모델로 그리는 것을 좋아했어요. 실제로 모델을 앞에 두고 그림을 그리면 생각보다 오랜 시간 바라보며 그려야 해요. 사진을 보고 그리는 것과는 달리 묘한 기류가 흐르는 작업이죠. 잘 그리지 않아도 좋아요. 누군가의 얼굴을 한 번쯤 그려보는 것은 어떨까요?

Mary Cassatt, *Susan in a Straw Bonnet*, c. 1883

Odilon Redon, *Still Life with Flowers*, 1905

February

10

영원히 변하지
않았으면 하는 것이 있나요?

20 .

20 .

20 .

정물화는 미술을 배우는 기본적인 유형 중의 하나예요. 대부분의 정물화는 움직이지 않는 것들을 그리는데, 이 작품은 움직이는 나비가 그려져 있어요. 나비의 움직임이 그림에 활기를 주는 듯 느껴집니다.

February

11

삶의 의미를 어디에서 찾나요?

20 .

20 .

20 .

대부분 사람들이 사실적인 그림보다는 추상화를 어려워한답니다. 작품에서 어떤 대상을 찾으려 하기보다는 색채, 선, 도형, 질감 등에 중점을 맞추고 감상해 보세요. 내 생각, 내 감정이 틀릴까 두려워하지 않아도 됩니다.

Marsden Hartley, *Provincetown*, 1916
©The Art Institute of Chicago

Anton Hula, *Stillleben mit Kaktus*, before 1946
©Austrian Gallery Belvedere

February

12

힘든 날, 듣고 싶은
위로의 말은 무엇인가요?

20 .

20 .

20 .

붉은색의 꽃과 짙푸른 색의 잎이 대조되어 화면을 이루고 있어요. 곧게 위로 힘차게 뻗은 잎들과 갓 피어난 꽃이 지친 마음에 힘을 줄 것 같은 그림입니다.

February

13

최근에
펑펑 울었던 기억이 있나요?

20 .

20 .

20 .

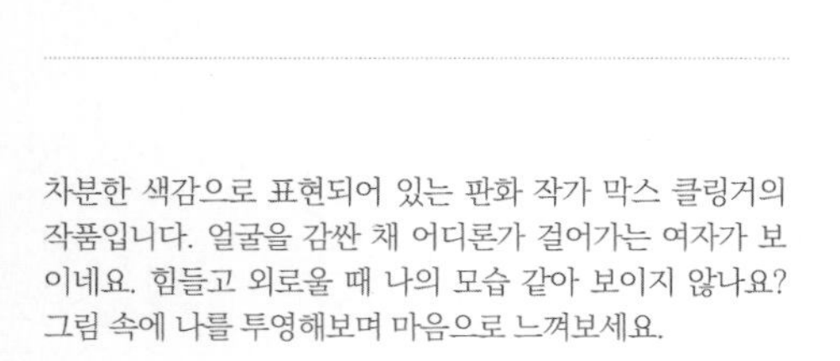
차분한 색감으로 표현되어 있는 판화 작가 막스 클링거의 작품입니다. 얼굴을 감싼 채 어디론가 걸어가는 여자가 보이네요. 힘들고 외로울 때 나의 모습 같아 보이지 않나요? 그림 속에 나를 투영해보며 마음으로 느껴보세요.

Max Klinger, *Abandoned, plate five from A Life*, 1884
©The Art Institute of Chicago

Pierre-Auguste Renoir, *Two Young Girls at the Piano*, 1892
©The Metropolitan Museum of Art

February
14

아이가 다룰 줄 알았으면 하는 악기는?

20 .

20 .

20 .

'인생이란 끝없는 휴일이다.'
- 오귀스트 르누아르

February

15

그림 속 여자가 내려다보고 있는 것은 무엇일까요?

20 .

20 .

20 .

매력적인 여성성을 강조해 표현한 화가 존 윌리엄 고드워드. 한 화가의 작품을 많이 감상하면 그만의 독특한 표현법과 느낌을 알게 됩니다. 만난 적은 없지만 친한 것처럼 느껴지기도 하죠. 이것이 그림을 통한 교감 아닐까요?

John William Godward, *Who can They be*, 1918

Émile Munier, *Petite Fille & Chat,* 1882

February

16

아이가 가장 좋아하는 동물은?

20 .

20 .

20 .

에밀 뮤니에는 어린아이와 동물을 많이 그렸어요. 아이들의 천진난만한 표정과 동물들의 순수함을 좋아했죠. 이 작품은 영국 비누의 광고 이미지로도 사용되면서 유명세를 얻은 그림이랍니다. 순수한 아이의 미소를 보며 함께 놀아 보세요.

February

17

현재 무엇을 향해
달려가고 있나요?

20 .

20 .

20 .

그림에서 혹시 말처럼 생긴 형상을 찾으셨나요? 추상적으로 보이는 작품이지만 자세히 들여다보면 익숙한 형태를 찾을 수 있답니다. 숨어있는 말과 마차의 형태를 찾아보세요.

Vasily Kandinsky, *Painting with Troika*, 1911

February

18

삶의 무게가 힘겹게 느껴지는 순간은?

Jaume Morera Galícia, *Guadarrama*, 1897

20 .

20 .

20 .

눈 내린 추운 겨울, 한 사람이 구부정하게 나무를 한가득 등에 지고 가고 있어요. 힘겨운 모습을 보며 화가는 어떤 생각을 하며 그렸을까요? 화가의 시선으로 그림을 감상해 보세요.

February

19

좋아하는 계절과 날씨는?

20 .

20 .

20 .

여행을 떠나는 것이 여의치 않을 때는 여행 대신 작품 한 점을 감상해 보세요. 풍경화에 몰입하면 마치 내가 그 풍경에 들어가 있는 것 같아요. 그림은 언제나 자유로운 여행을 할 수 있게 해주는 힘이 있답니다.

Charles P. Reiffel, *Mid-Summer*, 1920
©Indianapolis Museum of Art(Newfields)

William Merritt Chase, *A City Park*, c. 1887

February

20

누군가를 오랫동안
기다려본 적이 있나요?

20 .

20 .

20 .

20세기 초 미국의 유명 화가 중 한 명인 윌리엄 메리트 체이스의 작품입니다. 누군가 기다리고 있는 듯 감상자 쪽을 쳐다보고 있는 여자. 브루클린의 톰킨스 공원을 묘사했다고 알려져 있는데요, 이 그림에는 또 어떤 이야기가 숨어 있을까요?

February

21

아이가 가장 좋아하는
'엄마표' 요리는 무엇인가요?

20 .

20 .

20 .

스웨덴을 대표하는 사실주의 화가 칼 라르손. 가족과의 일상을 세밀하고 감각적으로 그려낸 작품들이 많아요. 그림 속 아이의 뾰로통한 표정이 만지고 싶을 정도로 귀엽네요.

Carl Olof Larsson, *Little Lie-A-Bed's Sad Breakfast*, 1900
©The Art Institute of Chicago

Paul Cézanne, *The Vase of Tulips*, c. 1890

February

22

다른 사람들과 조화롭게 살아가는 나만의 방법은?

20 　　　.

20 　　　.

20 　　　.

흩어져 있는 작은 꽃들과 꽃병 뒤에 있는 노란색 사과, 붉은 튤립과 초록색 잎사귀와 꽃병들이 매력적으로 표현되어 있는 작품입니다. 사물이 가진 각각의 형태와 색들이 조화를 이루는 것 같아요. 그림은 각각의 사람들이 모여 균형을 맞추는 작은 세상 같다는 생각이 듭니다.

February

23

외모를 가꾸기 위해서
어떤 노력을 하나요?

20 .

20 .

20 .

'예술에서는 같은 대상을 열 번, 백 번 반복해서 그리는 것이 기본이다. 어떤 동작도 우연인 것처럼 보여서는 안 된다.'
- 에드가 드가

Edgar Degas, *Women Combing Their Hair*, c 1875

Vilhelm Hammershøi, *Interior, An Old Stove*, 1888
©Statens Museum for Kunst(SMK)

February

24

내가 느끼기에
가장 시끄러운 소리는 무엇인가요?

20 .

20 .

20 .

그림에서 느껴지는 고요한 적막과 차분함. 채도가 낮은 색깔들로 긴장감과 적막한 분위기가 느껴져요. 육아를 하다 보면 가끔 조용한 곳에 혼자 있고 싶을 때가 있죠. 작품 속 적막함을 느끼며 혼자 있고 싶다면 그림 속으로 들어가 보세요.

February

25

아이가 어떤 사람으로 성장하길 바라나요?
소망을 담아 적어보세요.

20　　　.

20　　　.

20　　　.

종교화를 보고 신성함을 느껴 본 경험이 있나요? 종교 건축물이나 작품을 실제로 보았을 때 느껴지는 겸허함은 어디서 오는지 한 번쯤 생각하게 됩니다.

Hans Memling, *Virgin and Child*, 1485/90
©The Art Institute of Chicago

Pierre-Auguste Renoir, *Woman at the Piano*, 1875/76
©The Art Institute of Chicago

February

26

어떤 때 감성이
풍부해지나요?

20 .

20 .

20 .

화가들은 음악을 연주하는 장면을 참 많이 그렸어요. 이유가 무엇일까요? 음악을 연주하는 사람의 움직임과 아름다운 선율이 감수성을 자극해, 화가로 하여금 멋진 그림을 그리고 싶어지게 하는 것이 아닐까 싶습니다.

February

27

나에게는 어떤 따스함이 있나요?

20 .

20 .

20 .

날렵하고 세밀한 붓 터치 표현이 드러난 카미유 피사로의 작품입니다. 화창한 햇살을 느끼며 커피를 들고 있는 여자와 함께 여유로운 시간을 즐겨 보세요.

Camille Pissarro, *Young Peasant Having Her Coffee*, 1881
©The Art Institute of Chicago

February

28

몇 시쯤 풍경을 그린
그림일까요?

Martin Johnson Heade, *York Harbor, Coast of Maine*, 1877

20 .

20 .

20 .

그림 속 태양을 보면 실제처럼 눈이 부시게 느껴지는 작품입니다. 거의 붓 터치가 느껴지지 않을 정도로 매끄러운 표현 때문에 디지털 이미지 같아 보이기도 해요. 그림 왼편에 보이는 태양이 어떤 느낌으로 다가오나요?

February

29

함께 있으면 가장 편안한 사람은 누구인가요?

20 .

20 .

20 .

겹겹이 섬세하게 표현된 옷 주름과 커튼이 오랜 시간 붓이 지나간 흔적을 보여주네요. 쌓이고 쌓인 터치들이 모여 부드러운 느낌까지 들어요. 그림 속 인물의 자세와 표정이 정말 편한 사이처럼 보입니다. 작품을 보고 떠오르는 사람이 있나요?

Mary L. Gow, *Sisters*, 1905

March

'지혜로움을 나타내는 가장 분명한 표현은
명랑한 얼굴이다.'

미셸 드 몽테뉴
Michel de Montaigne

March

01

아이가 어떤 꿈을 펼치길 바라나요?

20 .

20 .

20 .

파리의 유명 서커스단이었던 페르난도 서커스의 곡예사 소녀들을 그린 작품입니다. 화가의 작업실에 와서 의상을 입고 포즈를 취한 뒤 그려졌다고 해요. 모델의 의상과 과일의 오렌지색이 배경 속 주황색, 노란색, 핑크색과 조화롭게 느껴집니다.

Pierre-Auguste Renoir, *Acrobats at the Cirque Fernando(Francisca and Angelina Wartenberg)*, 1879

Piet Mondrian, *Composition(No. 1) Gray-Red*, 1935

March

02

정리하고 싶은 공간은 어디인가요?

20 .

20 .

20 .

'나는 평평한 표면에 선과 색의 조합으로 아름다움을 최대한 느끼게 하려고 한다. 자연은 나에게 영감을 주는데 모든 것의 기초에 도달할 때까지 자연뿐 아니라 모든 것을 추상하고 싶다.'
- 피에트 몬드리안

March

03

나의 매력은
무엇이라고 생각하나요?

20 .

20 .

20 .

이른 봄에 싹트고 있는 복숭아꽃을 바라보는 젊은 여인을 그린 작품입니다. 어둡고 기울어진 배경이 조금 불안한 느낌으로 다가오지만, 당당하게 피어나는 꽃봉오리의 에너지가 균형을 잡아주는 듯 느껴지네요.

Winslow Homer, *Peach Blossoms*, 1878

March

04

멀리서 걸어오는
두 사람은 누구일까요?

20 .

20 .

20 .

Henri Eugène Le Sidaner, *Steps of the Palace at Versailles*, 1925
©Indianapolis Museum of Art(Newfields)

회색빛의 작품이 빛바랜 느낌의 사진처럼 보여요. 불안정한 듯하면서도 안정적인 각도의 긴 계단을 내려오고 있네요. 두 사람의 간격도 먼 듯 가까운 듯 묘하게 느껴집니다. 둘은 어떤 관계일까요? 상상해 보세요.

March

05

다른 사람이 보는
내 모습은 어떤 모습일까요?

20 .

20 .

20 .

뒤편으로 보이는 길을 따라 거위들을 몰고 온 여자. 어디로 가고 있는 걸까요? 귀여운 거위들이 그림 속 여자를 지켜주고 있는 것 같아 보이기도 하네요.

Margaret A. Rudisill, *The Goose Girl, before*, 1921
©Indianapolis Museum of Art(Newfields)

March

06

나의 성격을
객관적으로 표현한다면?

20 .

20 .

20 .

Pierre-Auguste Renoir, *Chrysanthemums*, 1881/82

정물화는 눈앞의 정물을 있는 그대로 그려내죠. 현실의 감정이나 기분을 배제하고 오직 객관적인 현실을 직시할 수 있는 눈을 길러볼 수 있어요. 화가의 시선으로 정물화를 감상해 보세요.

March

07

아이가 더 크기 전에 함께 해보고 싶은 것은?

20 .

20 .

20 .

옛날 사진관 같은 배경에 포즈까지 닮은 작품이네요. 아이의 오동통한 손과 상처 하나 없는 피부에서 엄마의 사랑이 고스란히 느껴지는 듯 해요.

Joshua Johnson American, *Elizabeth Grant Bankson Beatty(Mrs. James Beatty) and Her Daughter Susan*, c. 1805

March

08

오전 시간엔
무엇을 하며 보내나요?

20 .

20 .

20 .

Fredrick Childe Hassam, *The Little Pond, Appledore*, 1890

미국 뉴햄프셔에 위치한 작은 섬 애플도어를 그린 작품입니다. 화가 차일드 하삼 특유의 하늘색 푸른 물빛이 이곳에서 만들어진 것 같아요. 투명하고 맑은 물을 보며 시원함을 느껴보세요.

March

09

현재 결정하기
어려운 일이 있나요?

20 .

20 .

20 .

큰 파도가 바로 눈앞까지 다가오는 장면이 현실감 있게 표현된 작품입니다. 하얗게 일어나는 물보라 속에 걱정거리를 모두 던지면 파도가 모두 가져가기를 바라봅니다.

Winslow Homer, *Prout's Neck, Breaking Wave*, 1887
©The Art Institute of Chicago

Leonardo da Vinci, *Mona Lisa*, 1503/19

March

10

두고두고 봐도 좋은 무언가가 있나요?

20 .

20 .

20 .

세계에서 가장 유명한 작품이죠. 수수께끼 같은 모나리자의 미소를 보면 어떤 감정이 느껴지나요? 한 번의 감상으로 끝내지 말고 여러 번 작품을 보며 깊이 있는 감상을 해보세요. 점점 더 많은 것들을 느낄 수 있답니다.

March

11

엉뚱한 상상을
자주 하는 편인가요?

20 .

20 .

20 .

주세페 아르침볼도의 〈사계절〉 연작 중 〈봄〉. 아름다운 꽃들이 사람의 얼굴이 되었어요. 특이한 화풍으로 당시 인기가 많았던 그림입니다. 여름, 가을, 겨울 시리즈도 궁금해지지 않나요?

Giuseppe Arcimboldo, *Spring*, 1573
©Louvre Museum

Pierre-Auguste Renoir, *Lucie Berard(Child in White)*, 1883
©The Art Institute of Chicago

March

12

아이가 부쩍 자랐다고
느껴지는 순간은 언제인가요?

20 .

20 .

20 .

오귀스트 르누아르의 몽글몽글한 감성이 그대로 전해지는 작품입니다. 아이의 맑고 푸른 눈과 배경색이 함께 어우러져 마음이 깨끗해지는 기분이 들어요. 마음까지 컬러로 표현된 아이의 순수함을 느껴보세요.

March

13

지친 나에게
가장 해주고 싶은 말은?

20 .

20 .

20 .

미술 감상을 통해 얻을 수 있는 것은 무엇일까요? 바로 '자기 자신에 대해 깊이 알아갈 수 있다'는 점입니다. 내면의 대화를 통해서 나를 새롭게 발견하는 시간을 가져보세요.

Vasily Kandinsky, *Landscape with Two Poplars*, 1912

Katsushika Hokusai 葛飾 北斎, *Hydrangea and Swallow, from an untitled series of large flowers*, c. 1833/34

무엇을 하며 쉴 때
가장 편안함을 느끼나요?

20 .

20 .

20 .

빈 여백에 호흡을 담아두는 동양화의 매력에 빠져보세요. 빼곡히 채워진 그림보다 느린 분위기가 느껴지지 않나요? 그림이 그려지지 않은 빈 공간에 시선을 잠시 고정시키고 편안한 휴식 시간을 가져보세요.

March
15

우울함을 이겨내는
나만의 지혜는?

20 .

20 .

20 .

자살로 생을 마감한 화가 줄스 파스킨. 그림 속, 세상을 놓아 버린 표정의 인물을 보니 화가의 우울한 감정이 고스란히 느껴져요. 그림을 통해 다른 사람의 감정을 이해하고 생각해 볼 수 있는 기회를 가져보세요.

Jules Pascin, *Hermine David*, 1907
©The Art Institute of Chicago

Sir Henry Raeburn, *Eleanor Margaret Gibson-Carmichael*, 1802/03

March

16

아이의 가장 친한 친구는 누구인가요?

20 .

20 .

20 .

당당하게 서 있는 아이를 보세요. 옆에 있는 큰 개가 무서울 만도 한데 아이는 무척이나 여유로워 보이지 않나요? 아주 작은 강아지 때부터 함께 자라서 서로를 든든하게 믿고 있는 친구 같아 보이네요.

March

오늘 하루는
어떤 색깔이었나요?

20 .

20 .

20 .

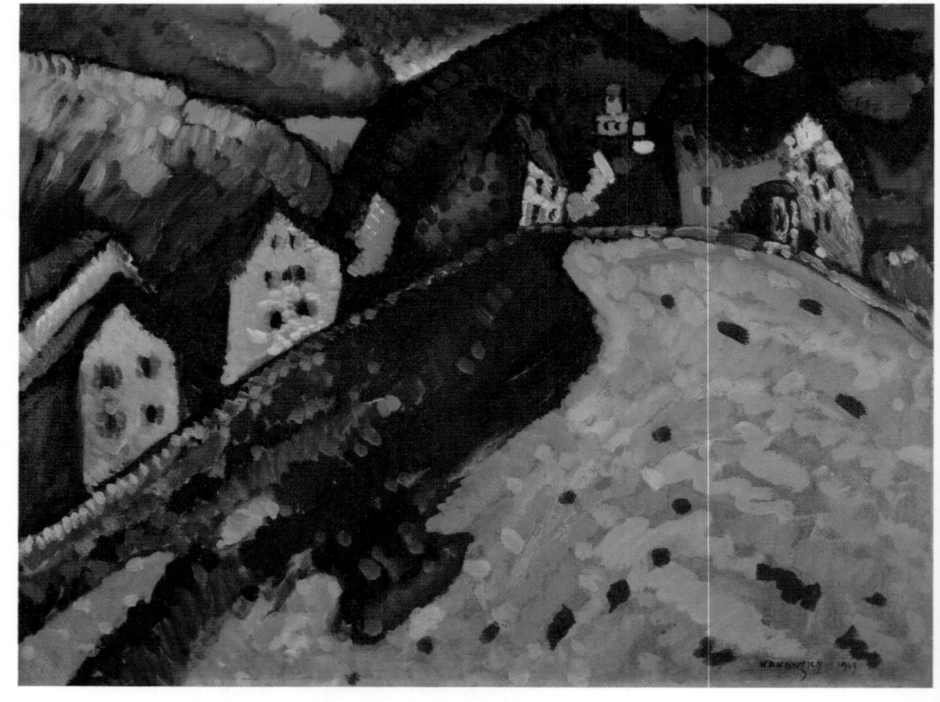

Vasily Kandinsky, *Houses at Murnau*, 1909
©The Art Institute of Chicago

'색은 영혼에 직접적인 영향을 줄 수 있는 위력을 지니고 있다.'
- 바실리 칸딘스키

March

이번 봄에 해보고 싶은
데이트는?

20 .

20 .

20 .

Jean-françois millet, *la primavera*, 1868/73
©Musée d'Orsay

'다른 사람을 감동시키려면 먼저 자신이 감동하지 않으면 안 된다. 그렇지 못하면 제 아무리 정교한 작품이라도 결코 생명력을 갖지 못한다.'
- 장 프랑수아 밀레

March

19

특별한 능력이 생긴다면 어떤 능력을 갖고 싶은가요?

20 .

20 .

20 .

과일을 훔치는 원숭이 한 마리가 보이나요? 원숭이는 음탕함, 인간 본성의 어두운 면을 나타낸다고 해요. 그림은 알면 알수록 참 재미있죠?

Jean Baptiste Oudry, *Still Life with Monkey, Fruits, and Flowers*, 1724
©The Art Institute of Chicago

Gustav Klimt, *Adele Bloch Bauer I*, 1907
©Neue Galerie New York

March

20

지혜를 얻는 나만의 방법은?

20 .

20 .

20 .

구스타프 클림트의 대표작 중 하나로 매우 화려하고 강렬한 그림입니다. 재력가의 초상화를 의뢰받아 금을 사용하여 그렸다고 해요. 그림 속 여자의 포즈가 조금 독특하지 않나요? 장애로 절단된 손가락을 가리고자 그림과 같은 포즈를 취했다고 해요. 숨기고 싶은 아픔을 아름답게 감싸준 화가의 따뜻한 시선이 느껴집니다.

March

21

아이가 나를
어떤 엄마로 느끼길 바라나요?

20 .

20 .

20 .

화가의 실제 어머니가 모델인 이 작품은 1934년 미국의 어머니의 날 기념 우표로 발행되었어요. 낡은 검은색 드레스를 입고 무채색의 벽 앞에서 모델이 되어준 화가의 어머니. 그림 속에서 어떤 분위기가 느껴지나요?

James Abbott Mcneill Whistler, *Whistler's Mother*, 1871
©Musée d'Orsay

Claude Monet, *Branch of the Seine near Giverny(Mist)*, 1897

March

22

이른 새벽 눈을 뜨면
무엇을 하나요?

20 .

20 .

20 .

〈센강의 아침〉 시리즈 18점 중 한점입니다. 강둑에 정박한 배 위에서 해 뜨는 새벽부터 빛이 바뀌는 순간을 포착해 작업하고, 순서대로 번호를 매겼다고 해요. 화가 클로드 모네의 시선을 통해 안갯속으로 들어가 보세요.

March

23

답답한 순간이 오면 어떻게 극복하나요?

20 .

20 .

20 .

주전자째로 벌컥벌컥 물을 마시고 있는 소년이 보여요. 그림을 보는 것만으로도 갈증이 해소되는 느낌이 들지 않나요? 미술은 언어로 표현하기 힘든 감정을 말없이 나눌 수 있는 힘을 가지고 있답니다.

Édouard Manet, *Boy with Pitcher(La Régalade)*, 1862/72
©The Art Institute of Chicago

William-Adolphe Bouguereau, *Berceuse(Le Coucher)*, 1873

March

24

잠든 아이에게
몰래 들려주고 싶은 말이 있나요?

20 .

20 .

20 .

보기만 해도 저절로 행복해지는 작품 아닌가요? 그저 행복하게 엄마 품에서 깊이 잠든 아이의 모습과 사랑스럽게 쳐다보는 엄마의 미소가 가슴 찡한 감동을 전해주네요.

March

25

오늘 아이가 새롭게 배운 것이 있나요?

20 .

20 .

20 .

아장아장 걷던 작은 아기가 언제 이렇게 커서 바느질을 할까요? 정신없이 육아를 하다 보면 아이가 크는 것을 보고 시간의 흐름을 알 수 있죠. 부쩍 커버린 아이처럼 우리도 성장하는 시간을 가졌으면 좋겠습니다.

Pierre-Auguste Renoir, *Jean Renoir Sewing*, 1899/1900

March

26

눈처럼 마음을
녹일 수 있는 말이 있다면?

Frits Thaulow, *Melting Snow,* 1887

20 .

20 .

20 .

19세기 노르웨이의 풍경화가 프리츠 타울로의 작품입니다. 녹는 눈과 물에 반사된 빛의 흐름을 세밀하게 그려냈어요. 사실적인 물 표현을 자세히 보니 눈이 녹아 졸졸졸 흐르는 소리가 들리는 듯합니다. 그림이 들려주는 소리도 즐겨 보세요.

March

27

가족들에게 듣고 싶은 응원의 말은?

20 .

20 .

20 .

가로로 부드럽게 그려진 선을 따라가 보세요. 엄마와 아이 둘이 보이죠? 우두커니 서 있는 것을 보니 누군가를 기다리는 것 같네요. 글 없는 그림책을 보듯 그림에 천천히 나만의 이야기를 붙여 보세요.

Henri Rousseau, Sawmill, *Outskirts of Paris*, c. 1893/95

Odilon Redon, *Closed Eyes*, 1890
©Musée d'Orsay

March

28

보이지는 않지만
강하게 믿는 것이 있나요?

20 .

20 .

20 .

꿈과 환상을 그림으로 표현한 화가 오딜롱 르동. 우울하고 내성적인 성격의 사람이었다고 해요. 현실보다는 그림에서 자신의 이야기를 하는 것이 편한 것처럼 느껴져요. 특유의 우울감과 상상력으로 '보이지' 않는 것들을 그린 그림이 많답니다. 작품이 주는 울림을 느껴보세요.

March

29

남편과 많이 하는 대화는 무엇인가요?

20 .

20 .

20 .

부인 마리 오르탕스의 초상을 유난히 많이 그렸던 화가 폴 세잔. 남편이 수 년에 걸쳐 변해가는 내 모습을 그림으로 그려 준다면 어떤 기분일까요?

Paul Cézanne, *Madame Cezanne in a Yellow Chair*, 1888/90

Jean François Raffaëlli, *Afternoon Tea,* c. 1880
©The Art Institute of Chicago

March
30

어떤 모습으로
나이 들고 싶나요?

20 .

20 .

20 .

지쳐 보이는 노부부의 표정이 안쓰럽게 느껴지네요. 그림을 보다 문득, 저 나이까지 함께 카페에 앉아있는 것도 대단하다는 생각이 들었어요. 함께 늙어갈 가족들을 더 사랑해야겠다는 다짐을 그림을 통해서 해 봅니다.

March

31

아이와 함께
봄에 꼭 하고 싶은 것은?

20 .

20 .

20 .

아끼던 동생 태오의 첫 아이가 태어나자 빈센트 반 고흐는 아몬드 나무를 그렸어요. 화가가 죽기 전 마지막 봄에 남긴 작품이랍니다. 아름다움에 눈물이 핑 도는 듯한 느낌이 드는 그림이네요. 빈센트 반 고흐의 마지막 봄은 아름다웠을 거예요.

Vincent van Gogh, *Amandelblosem*, 1890

활력

April

'자기 자신을 응원하는 가장 좋은 방법은
다른 모든 사람들에게
활력을 불어넣는 것이다.'

마크 트웨인
Mark Twain

April

01

나에게
에너지를 주는 것은 무엇인가요?

20 .

20 .

20 .

마스던 하틀리는 앞쪽에 쓰러진 나무가 뒤쪽의 황금빛 언덕으로 전환되는 장면을 상상하며 그림을 그렸다고 해요. 강한 선의 느낌과 대담한 형태들의 일렁임에서 강한 에너지가 느껴지는 듯 보여요.

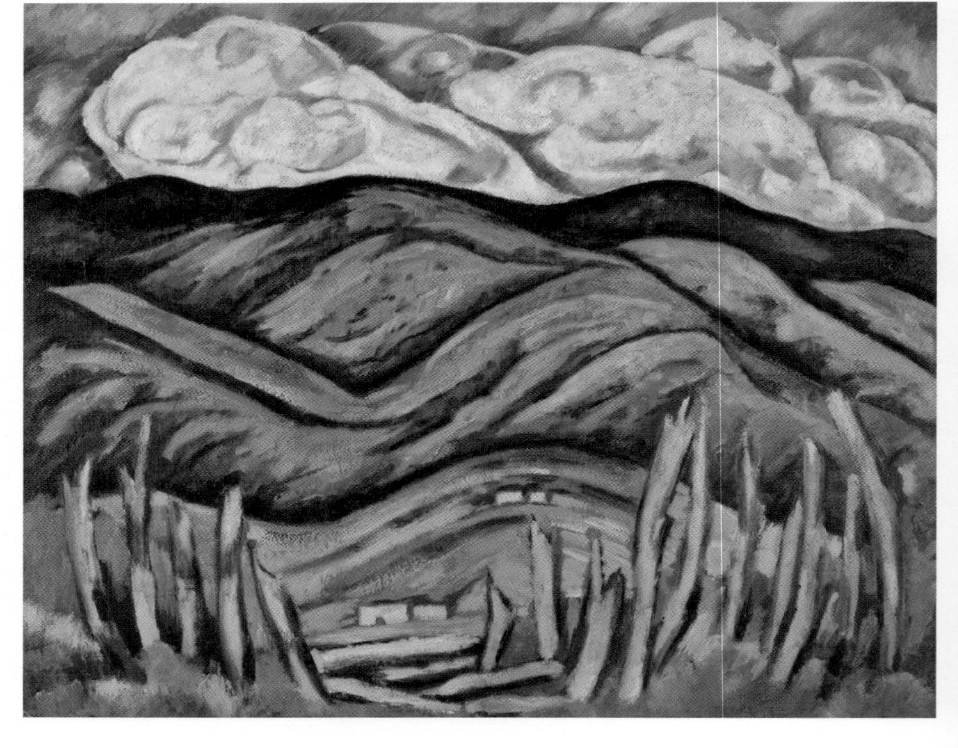

Marsden Hartley, *The Last of New England-The Beginning of New Mexico*, 1918/19

Édouard Manet, *Woman Reading*, 1880/81

April

02

어떤 태도가 삶을 풍부하게 만들 수 있을까요?

20 .

20 .

20 .

당시 파리의 카페는 예술가들이 자주 모이는 장소였다고 해요. 그림 속 여자가 카페에서 책을 보는 듯 보이지만, 배경을 자세히 보면 에두아르 마네의 작품이 보여요. 사실은 화가 에두아르 마네의 작업실에서 모델을 두고 그린 그림이랍니다. 지금 이 순간 파리의 카페에 앉아 있는 상상을 하며 그림을 감상해 보세요.

April

03

소소한 '혼밥 시간'이 그리울 때가 있나요?

20 .

20 .

20 .

가족의 식사를 준비하는 모습이 담긴 작품이네요. 아이 둘의 접시는 있지만 엄마의 접시는 보이지 않아요. 아이들 밥 챙기느라 내 것 챙기기가 쉽지 않지요? 그림 속 육아맘과 대화는 하지 않았지만, 마음으로 공감을 나누어 봅니다.

Evert Pieters, *A Family Meal*, circa 1890s

Alfred Sisley, *A Turn in the Road*, 1873

April

04

살면서 겪었던
가장 큰 고비는 무엇인가요?

20 .

20 .

20 .

물감이 마르지 않은 것처럼 꾸덕꾸덕한 질감이 여과 없이 느껴지는 작품입니다. 화가가 사용한 재료는 저마다 다른 소리를 내는 악기와 같아요. 다양한 그림을 감상하다 보면 유독 끌리는 재료가 있답니다. 그림을 감상해 나가면서 나만의 악기를 찾아보세요.

April

05

아이 성격의 장점 3가지는?

20 .

20 .

20 .

당근을 들고 있는 소년을 파스텔로 표현한 작품입니다. 해맑은 표정으로 장난스러운 미소를 지은 소년이 당근을 움켜쥐고 있네요. 소년은 당근으로 무엇을 하려고 했을까요?

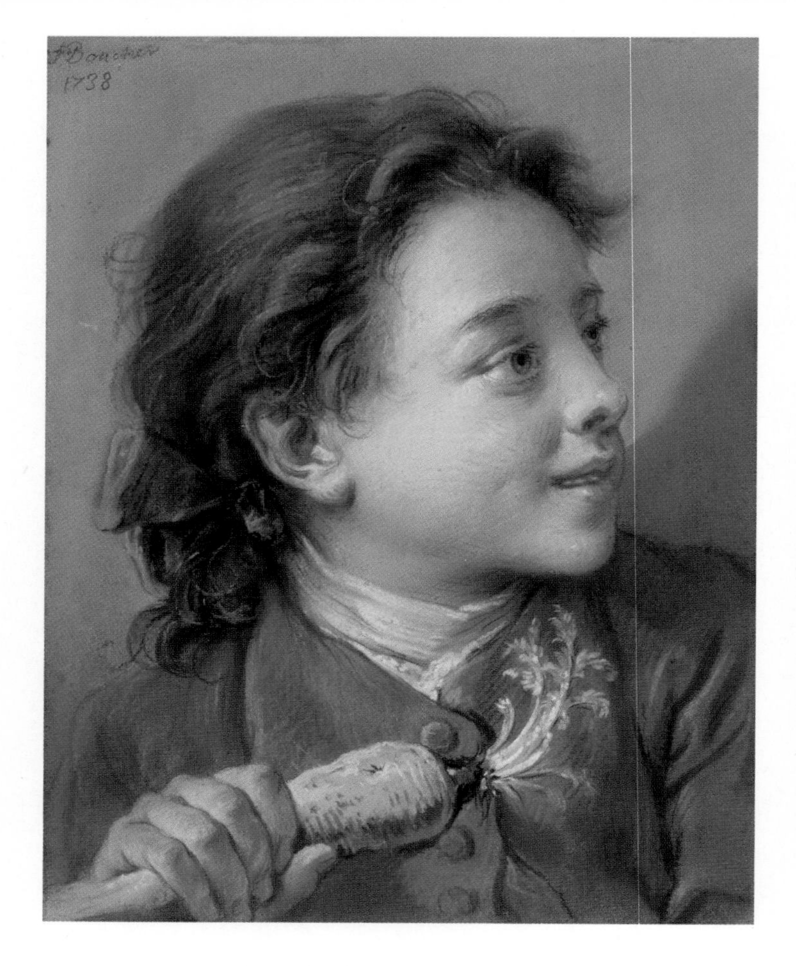

François Boucher, *Boy with a Carrot*, 1738
©The Art Institute of Chicago

April

Pierre-Auguste Renoir, *Fruits of the Midi*, 1881
©The Art Institute of Chicago

임신했을 때
특별히 기억에 남는 일은 무엇인가요?

20 .

20 .

20 .

죽기 3시간 전에도 정물화 소재로 꽃을 준비해 달라고 부탁했던 화가 오귀스트 르누아르. 하얀 테이블보 위 빨간색, 노란색, 초록색, 보라색의 과일과 채소가 미각까지 자극하는 것 같아요. 과일의 외형뿐 아니라 남프랑스의 햇빛, 느낌까지도 담은 화가의 표현력이 따뜻하게 와닿습니다.

April

07

마음을 나눌 수 있는 가까운 친척이 있나요?

20 .

20 .

20 .

그림 속 삼촌과 조카가 검은 옷을 입고 있어요. 비스듬히 기울인 머리 방향도 닮았네요. 가까운 듯 묘한 거리감이 느껴지기도 하네요. 드라마의 한 장면처럼 그림 속의 숨은 이야기가 궁금해지지 않나요?

Edgar Degas, *Henri Degas and His Niece Lucie Degas*, 1875/76
©The Art Institute of Chicago

April

08

아이가 가장
잘 하는 것은 무엇인가요?

20　　.

20　　.

20　　.

공책에 낙서를 하다가 발견한 미술의 재능으로 화가의 길을 걷게 된 화가 프란세스크 미랄레스. 작은 낙서에서 재능을 발견하여 작품을 남길 수 있었듯이 아이의 소소한 장점도 발견해 주는 엄마가 되길 바라봅니다.

Francesc Miralles i Galaup, *Springtime*, 1896

April

09

가장 매력적인 여행지는 어디였나요?

20　　　.

20　　　.

20　　　.

'진정한 미국의 색은 가을의 뉴잉글랜드와 건조한 뉴멕시코에서만 존재한다.'
- 마스던 하틀리
뉴멕시코에서 18개월을 보내고 뉴욕으로 돌아온 화가 마스던 하틀리가 특유의 터치로 기억 속 남서부를 그린 작품입니다. 동글동글한 산과 구름의 표현이 독특하게 느껴지네요.

Marsden Hartley, *Landscape No. 3, Cash Entry Mines, New Mexico*, 1920

Jean-Baptiste-André Gautier D'Agoty, *Jeanne Bécu, Comtesse Du Barry, and her servant Zamor*, 1771

April

10

내 몸에서 가장 마음에 드는 곳은?

20 　　　.

20 　　　.

20 　　　.

초콜릿을 마시는 마담 뒤바리를 그린 작품입니다. 당시에는 초콜릿 원료가 귀하고 만드는 과정도 까다로워서 귀족들만 마실 수 있는 사치품이었다고 해요. 그림 속에 담긴 소품이나 배경은 당시 상황을 예상할 수 있는 장치가 되는 경우가 많아요. 그림을 감상하는 재미있는 요소로 즐겨보세요.

April

11

아이가 성인이 되었을 때
어떤 점을 가장 고마워할 것 같나요?

20 .

20 .

20 .

그림 속 엄마와 아이가 비슷한 초록색 계열의 옷을 입고 있고 있어요. 가끔 아이와 시밀러룩을 입고 있을 때면 왠지 모르게 더 가까워진 듯한 느낌이 들어요. 시각적인 효과가 주는 동질감도 예술의 힘이겠지요?

Mary Cassatt, *Peasant Mother and Child*, c. 1895

Claude Monet, *In the Woods at Giverny*, 1887
©Los Angeles County Museum of Art

April

12

사진이나 글보다 그림으로
꼭 그려보고 싶은 것은?

20 .

20 .

20 .

'쓸 것보다 그릴 게 더 많은 것이 화가다.'
- 클로드 모네

April

13

엄마로서 아이에게 가장 잘 하고 있는 부분은?

20 .

20 .

20 .

마리 카사트만큼 엄마와 아이의 자연스러운 순간을 사랑스럽게 포착한 화가가 있을까요? 실제 엄마와 아이를 바로 옆에서 보는 듯 생생한 느낌이 전달되는 작품을 감상해 보세요.

Mary Cassatt, *Mother About to Wash Her Sleepy Child*, 1880

Josef Gisela, *Mädchen ein Kruzifix mit Blumen schmückend*, around 1890/95
©Wien Museum

April

14

요즘 내가 가장 몰입하는 것은 무엇인가요?

20 .

20 .

20 .

꽃으로 십자가를 장식하는 소녀를 그린 작품이에요. 온 신경이 한곳에 쏟아지는 이 순간. 양손과 눈, 입, 발까지. 한 가지에 몰두한 모습이 모두 그림에 담겨 있어요. 집중하는 모습을 통해 몰입을 경험해 보세요.

April

15

1년 후 나에게 해주고 싶은 말은?

20 .

20 .

20 .

미술 감상을 어렵게 생각하지 않아도 됩니다. 아름다운 꽃을 보듯이 몇 년 지난 가족사진을 보듯이 그림도 편하게 보세요. 그래야 오랫동안 즐길 수 있답니다. 어렵게 느껴지지만 않는다면 미술 감상의 반은 성공이랍니다.

Julian Alden Weir, *Flowers*, 1880

April

16

엄마와 단둘이 떠나고 싶은 여행지는?

Jozef Israëls, *Mother and Child on a Seashore*, c. 1890

20 .

20 .

20 .

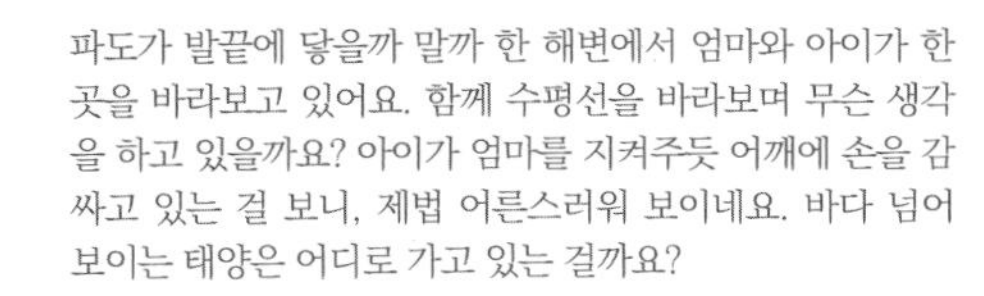

파도가 발끝에 닿을까 말까 한 해변에서 엄마와 아이가 한 곳을 바라보고 있어요. 함께 수평선을 바라보며 무슨 생각을 하고 있을까요? 아이가 엄마를 지켜주듯 어깨에 손을 감싸고 있는 걸 보니, 제법 어른스러워 보이네요. 바다 넘어 보이는 태양은 어디로 가고 있는 걸까요?

April

17

아이의 고민을 함께 나눈 경험이 있나요?

20 .

20 .

20 .

평범한 아이의 모습처럼 보이지만 작품 속 아이는 세상을 떠난 아이랍니다. 자식이 죽으면 부모는 가슴에 묻는다는 말이 있죠. 죽은 아이의 모습을 그림으로라도 남겨 두고 싶은 부모의 마음이 느껴지네요. 감상 후에는 작품의 뒷이야기를 찾아보는 것도 재미있어요.

Benjamin Franklin Rawson, *Retrato de Eduardo Lahitte Uribelarrea*, 1868

April

18

요즘 나에게 활력을 주는 것은?

20 .

20 .

20 .

Camille Pissarro, *The House of the Deaf Woman and the Belfry at Eragny*, 1886
©Indianapolis Museum of Art(Newfields)

인상주의 화가 카미유 피사로의 점묘화 작품입니다. 화가의 가족이 살았던 작은 마을 풍경을 점을 찍어 묘사했어요. 점묘화 기법으로 그려진 작품의 느낌은 어떤가요? 아침 햇살이 가득한 분위기와 풍경이 몽글몽글 느껴지는 것 같네요.

April

19

자신 있게 부를 수 있는 노래는?

20 .

20 .

20 .

아이를 등에 업고 다른 한 손에는 과일 바구니를 든 채 노래를 부르는 여자를 그린 작품입니다. 엄마의 목소리가 달콤한가 봅니다. 입까지 벌리고 깊은 잠에 빠져든 아이는 엄마의 노랫소리를 기억할까요?

Daniel Maclise, *The Ballad Seller*, 1858

April

20

즐겨보는
채널이 있나요?

20 .

20 .

20 .

풍만한 몸집에 남루한 옷을 걸치고 창밖을 내다보는 여자를 그린 작품입니다. 창밖에 어떤 상황이 펼쳐져 있을까요? 여자의 표정을 보니 왠지 모를 즐거움과 호기심이 느껴지는 상황인 것 같네요.

Jean-François Millet, *Young Woman*, 1844/45

April

21

요즘 잠은 잘 자나요?

20 .

20 .

20 .

애보트 핸더슨 세이어는 천사를 그림에 많이 그렸어요. 인물의 고귀한 분위기를 강조하기 위해 날개를 그렸다고 해요. 잠든 여자의 고귀한 분위기가 느껴지나요?

Abbott Handerson Thayer, *Winged Figure*, 1889
©The Art Institute of Chicago

April

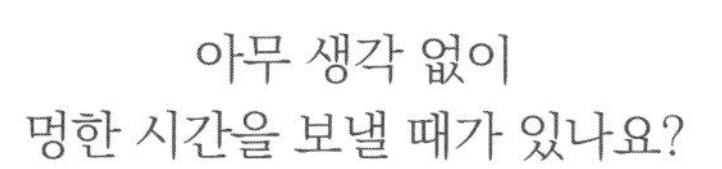

아무 생각 없이
멍한 시간을 보낼 때가 있나요?

20 .

20 .

20 .

Gustave Courbet, *Rêverie(Portrait of Gabrielle Borreau)*, 1862

초점이 풀린 채 허공 어딘가에 힘 없이 시선을 꽂아둔 여인. 그녀의 시선은 어디를 향하고 있는 걸까요? 힘들고 지칠 때는 그림을 보면서 생각을 비워 봐도 좋아요.

April

23

인생에서
가장 큰 영향을 준 사람은?

20 .

20 .

20 .

금발의 긴 머리를 풀고 푸른 바다를 보고 있는 여자는 어떤 생각을 할까요? 어쩌면 지금 당신의 생각과 같을지도 몰라요. 그림을 보는 시간은 스스로를 들여다볼 수 있는 소중한 시간이랍니다. 작품을 보면서 나와 대화하는 시간을 가져 보세요.

Edvard Munch, *Young Woman on the Beach*, 1896

Paul Cézanne, *Auvers, Panoramic View,* 1873/75

April

24

나에게 가장 특별한 시간은 언제인가요?

20 .

20 .

20 .

평화로워 보이는 마을의 집과 지붕들의 패턴을 그린 작품입니다. 평범함이 주는 편안함을 그대로 느껴보세요. 때로는 익숙하고 편안한 풍경이 최고의 특별함이 아닐까요?

April

25

남과 절대 타협할 수 없는 단 한 가지가 있다면?

20 .

20 .

20 .

인물의 핑크색 옷 사이사이로 보이는 강물의 초록빛과 눈동자의 색이 오묘하게 어우러져 있네요. 마치 강물을 머금고 있는 것 같아요. 반짝이는 강물 빛 앞에서 잠시 쉬며 그림 속 여자와 눈을 맞추고 대화해 보세요.

Lilla Cabot Perry, *At the River's Bend(On the River II)*, 1895

아이가 즐겨 읽는 책 제목은?

20 .

20 .

20 .

Charles Haigh-Wood, *Storytime*, 1893

마음이 간질간질해지는 그림입니다. 아이가 혼자 책에 푹 빠져있는 것만큼 예쁜 모습이 있을까요? 그 소중한 순간을 방해하고 싶지 않아서 발소리조차 줄이게 되죠. 한 손에 꼭 안은 인형마저 사랑스럽습니다.

April

27

엄마가 되어 얻은 깨달음이 있다면 무엇일까요?

20 .

20 .

20 .

일본 판화의 영향을 받은 화가 마리 카사트의 작품입니다. 엄마와 아이가 서로 감싸 안고 있는 아름다운 곡선을 보면 깊은 애착이 느껴져요. 투명한 색감과 섬세한 표현, 부드러운 곡선들이 엄마와 아이의 애정을 느끼게 합니다.

Mary Cassatt, printed by Leroy, *After the Bath*, 1895
©Clark Art Institute

Sir John Everett Millais, Bt, *Ophelia*, 1851/2

April

28

가장 슬펐던 죽음의 기억은?

20 .

20 .

20 .

셰익스피어의 희곡 햄릿의 오필리아를 그린 유명한 작품입니다. 오필리아는 아버지가 연인인 햄릿에게 살해당한 후 스스로 목숨을 끊죠. 작품 속 그녀가 들고 있는 양귀비는 죽음을, 팬지는 헛된 사랑을 의미한다고 해요. 글로는 표현이 힘든 감정을 이미지로 보여주는 명화를 통해 '감성적 지각'을 키워보세요.

April

29

몇 명의 자녀가 이상적이라고 생각하나요?

20 .

20 .

20 .

오누이처럼 보이는 두 아이가 그려진 사랑스러운 작품입니다. 여동생에게 물을 먹여주는 모습이 정말 사랑스럽지 않나요? 아이들의 표정을 자세히 관찰하며 두 아이의 감정을 느껴보세요.

Elizabeth Jane Gardner Bouguereau, *les Trois Amis*, 19c

Jean-François Millet, *The Gleaners*, 1857

April

30

요즘 특별히
신경쓰는 일이 있나요?

20　　.

20　　.

20　　.

장 프랑수아 밀레의 대표작 중 하나인 〈이삭 줍는 사람들〉. 열심히 이삭을 주우며 일하는 여자들의 모습을 통해 사회적 메시지를 전달하려 한 작품이죠. 울퉁불퉁하고 투박한 손으로 깊게 허리 숙여 일하는 모습이 노동의 고귀함을 보여줍니다.

가족 사진을 붙여 보세요

사랑

May 

'사랑은 눈으로 보는 것이 아니라
마음으로 보는 것이다.'

윌리엄 셰익스피어
William Shakespeare

May

01

5월하면
어떤 색이 떠오르나요?

20 .

20 .

20 .

경쾌한 붓 놀림과 밝은색으로 표현한 작품입니다. 봄의 싹트는 생명력과 따사로움이 느껴져요. 봄기운이 가득한 그림을 감상하며 에너지를 얻어보세요.

Robert William Vonnoh, *Spring in France*, 1890

Paula Modersohn-Becker, *Still Life with Green Vase*, c. 1902

May

02

원하는 삶과 어느 정도
가깝게 살고 있나요?

20 .

20 .

20 .

사실적인 표현의 정물화가 아니라서 조금 낯설게 보일 수 있는 그림입니다. 자세히 들여다보면 초록색 꽃병과 꽃들, 테이블보의 무늬가 눈에 들어와요. 천천히 그림을 보다 보면 조금 더 깊이 있게 느낄 수 있어요. 움직임 없는 이미지를 자세히 또 깊이 보는 방법을 그림을 통해 배울 수 있답니다.

May

03

지금 가장 사랑하는 사람은 누구인가요?

20 .

20 .

20 .

목욕하는 사람의 뒷모습을 그린 화가 폴 세잔의 작품입니다. 예술 작품 속 인간의 신체는 많은 것들을 전달하죠. 인체의 포즈, 표현 재료, 방법, 배경, 색채 등에 따라 수많은 감정과 이야기를 만들어낸답니다.

Paul Cézanne, *Standing Bather, Seen from the Back*, 1879/82

Eugène Carrière, *Still Life*, c. 1875

May

04

특별히
애정이 가는 물건은?

20 .

20 .

20 .

모노톤의 이미지를 보면 어떤 느낌이 드나요? 차가운 듯 도도해 보이기도 하고 아련한 듯 감성적으로 느껴지기도 해요. 컬러가 없는 작품을 통해 다양한 감성을 경험해 보세요.

May

05

어린이날,
어떤 선물을 준비했나요?

20 .

20 .

20 .

Harrington Mann, *Portrait of Three Knox Children*, 1909
©Buffalo AKG Art Museum

'어린아이에게 배워라. 그들에게는 꿈이 있다.'
- 헤르만 헤세

Honoré Victorin Daumier, *The Print Collector*, c. 1857/63
©The Art Institute of Chicago

May

06

콜렉팅하는 무언가가 있나요?

20 .

20 .

20 .

그림자가 있어 인물의 표정이 잘 보이지 않네요. 주머니에 손을 넣고 어딘가를 응시하고 있어요. 마음에 드는 그림을 발견했는지, 짧은 시선 같지는 않아 보이네요. 시선을 사로잡는 작품이 있다면 가장 편한 자세로 오랜 시간 들여다보세요.

May

07

내가 좋아하는
동네 풍경은?

20 .

20 .

20 .

존 헨리 트와츠먼은 6년 동안 6가지 버전의 그림 속 다리를 그렸어요. 한 장소를 이토록 관찰했던 사랑은 어디서 비롯된 열정일까요? 화가의 숨은 이야기를 알고 나니 작품을 더 천천히 여유롭게 감상하고 싶어지네요.

John Henry Twachtman, *The White Bridge*, after 1895
©The Art Institute of Chicago

Pierre-Auguste Renoir, *Young Woman Sewing*, 1879

May

08

최근 부모님을 기쁘게
해드린 일은 무엇인가요?

20 .

20 .

20 .

'그림이란 즐겁고 유쾌해야 한다.
가뜩이나 불쾌한 것 투성이인 세상에서 굳이 그림마저 아름답지 않은 것을 일부러 그릴 필요가 있을까?'
- 오귀스트 르누아르

May

09

사랑한다는 말이 망설여지는 이유가 있나요?

20 .

20 .

20 .

문 앞에서 뭔가 망설이고 있는 여자의 손에 수를 놓은 듯한 천 조각이 들려있네요. 오른쪽 탁자 위의 실뭉치들과 바닥에 떨어진 실들도 보여요. 어떤 이야기가 숨어있을까요?

Alfred Stevens, *Hesitation*, c. 1867

Gustav Klimt, *The Kiss*, 1907/08
©Austrian Gallery Belvedere

May

10

남편의 가장 큰 장점
3가지는?

20 .

20 .

20 .

'예술은 당신의 생각들을 둘러싼 한줄기 선입니다.'
- 구스타프 클림트

May

11

즉흥적으로
하고 싶은 일이 있나요?

20 .

20 .

20 .

화려한 색상, 모양 및 선, 거칠어 보이는 표현들. 즉흥적으로 조합된 그림처럼 보이지만 자세히 보면 건물, 사람, 바퀴가 달린 대포가 보여요. 미술작품은 보면 볼수록 재미를 느낄 수 있답니다.

Vasily Kandinsky, *Improvisation No. 30(Cannons)*, 1913

May

아련하게 떠오르는
그리운 풍경은?

20 .

20 .

20 .

폴 세잔의 작품에서 40번 이상 등장하는 생트 빅투아르(Sainte-Victoire) 산.
'생트 빅투아르는 나를 이끌었다. 그 산은 내 안에서 자기 자신을 사유하고 있는 것이고, 나 자신은 생트 빅투아르의 의식이다.'
- 폴 세잔

Paul Cézanne, *Mont Sainte-Victoire*, c. 1902/06

May

13

가장 신비로웠던
아이와의 시간은 언제인가요?

20 .

20 .

20 .

'〈진주 귀고리를 한 소녀〉는 여전히 강력한 신비를 내뿜고 있다. 소녀의 표정에 사로잡혀 소설을 썼지만, 나는 아직도 그녀가 무슨 생각을 하고 있는지 모른다. 결코 알지 못하기를 바란다.'
- 트레이시 슈발리에, 〈진주 귀고리 소녀〉 소설 작가

Johannes Vermeer, *Meisje met de parel*, 1665
©Mauritshuis

James Tissot, *Spring Morning*, c. 1875

May

14

하루 중 나만을 위한 시간에는 무엇을 하나요?

20 .

20 .

20 .

〈봄날의 아침(Spring Morning)〉이라는 제목에서도 봄의 분위기가 물씬 느껴지네요. 작은 연못 앞의 여자는 무엇을 보려고 양산까지 쓰고 나와있는 걸까요? 여자의 시선이 머무는 곳을 따라가 보세요. 재미있는 것이 있을 것 같지 않나요?

May

15

요즘 읽고 있는 책 제목은
무엇인가요?

20 .

20 .

20 .

앙리 마티스의 작품에는 책을 읽는 인물들이 자주 등장해요. 집중해서 책을 읽고 있는 모습을 보면 다른 세계에 푹 빠져있는 것 같지 않나요? 몰입해서 그림을 감상하는 순간에도 다른 공간을 경험할 수 있답니다.

Henri Matisse, *The Reader(Marguerite Matisse)*, 1906
©Musée de Grenoble

Paul Cézanne, *The Bay of Marseille, Seen from L'Estaque*, about 1885

May

16

어떤 노후를 꿈꾸나요?

20 .

20 .

20 .

앙리 마티스와 파블로 피카소가 '우리 모두의 아버지'라고 불렀던 화가 폴 세잔. 폴 세잔은 10년 동안 20점의 에스타크(L'Estaque)를 그렸고 그중 12점에 마르세유만이 등장한답니다. 그가 사랑에 빠졌던 풍경은 실제로 얼마나 아름다울지 궁금해지네요.

May

17

엄마의 20년 전 얼굴이
기억나나요?

20 .

20 .

20 .

그림 속 여자의 표정을 보면서 떠오르는 사람이 있나요? 저는 친정엄마의 젊었을 적 얼굴이 떠올랐답니다. 그림은 아주 오래전 과거로도 데려가 주는 마법 같은 힘을 가지고 있어요.

School of William Matthew Prior, *Woman in a Blue Dress*, c. 1840
©The Art Institute of Chicago

May

18

아이가 가장 좋아하는 장소는
어디인가요?

20 .

20 .

20 .

Claude Monet, *The Artist's House at Argenteuil*, 1873

클로드 모네의 5살 아이를 지켜보는 아내를 그린 작품이에요. 맑은 하늘만큼이나 아름답지 않나요? 평온함과 행복감도 느껴지죠. 잘 가꿔진 꽃들이 가족의 안정적인 상황을 알려주는 것 같네요.

May

19

잊혀지지 않는 데이트 장소는?

20 .

20 .

20 .

한적한 시골길을 걸으며 데이트한 기억이 있나요? 별일 아닌 듯 편안했던 순간들이 가끔은 살아가는 이유가 아닐까 하는 생각이 들어요. 화려하지는 않지만 잔잔한 평온함에 자꾸 눈이 가는 작품이네요.

Jean-Baptiste-Armand Guillaumin, *The Arcueil Aqueduct at Sceaux Railroad Crossing*, 1874

Émile Munier, *Pardon Mama*, 1888

May

20

최근 아이에게 '사랑해'라고 이야기한 적 있나요?

20 .

20 .

20 .

아이들을 많이 그렸던 화가 에밀 뮤니에의 작품입니다. 촉촉한 눈동자의 아이와 엄마가 서로를 사랑스럽게 안아주고 있는 따뜻한 그림입니다. 엄마와 아이가 함께한 순간을 그린 작품은 아이를 키우는 엄마에게 더 큰 감동을 주는 것 같아요. 섬세한 묘사의 그림에서 살아있는 듯한 표정과 분위기를 느껴보세요.

May

21

나이가 들어도
꾸준히 하고 싶은 일은 무엇인가요?

20 .

20 .

20 .

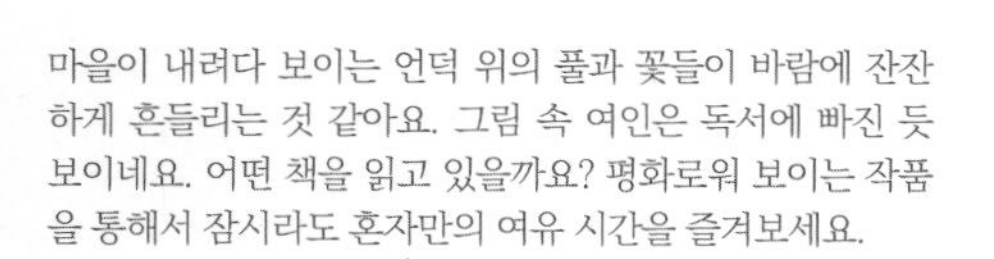

마을이 내려다 보이는 언덕 위의 풀과 꽃들이 바람에 잔잔하게 흔들리는 것 같아요. 그림 속 여인은 독서에 빠진 듯 보이네요. 어떤 책을 읽고 있을까요? 평화로워 보이는 작품을 통해서 잠시라도 혼자만의 여유 시간을 즐겨보세요.

Theodore Robinson, *The Valley of Arconville*, c. 1887

Michelangelo Merisi da Caravaggio, *Narcissus*, 1597/99

May

22

내가 가장
아름다워 보이는 순간은?

20 .

20 .

20 .

물에 비친 자신의 모습에 반해 버린 젊은 사냥꾼을 그린 작품이에요. 혹시, 물에 비친 모습과 물 밖의 얼굴의 차이가 느껴지나요? 그림 속 두 명의 인물 중 누가 진정한 모습일까요?

May

23

숨기고 싶은 비밀이 있나요?

20 .

20 .

20 .

발이 보이지 않는 검은색 긴 드레스, 손을 뻗어 더 길어보이는 동작, 세로로 긴 화면이 매력적인 작품입니다. 인물과 배경이 만드는 묘한 분위기 때문에 작품 속 모든 것들이 궁금해지네요.

József Rippl-Rónai, *Slender Woman with Vase*, 1894

Hanna Pauli, *Breakfast Time*, 1887

May

최근 야외에서의 식사는 언제인가요?

20 　　.

20 　　.

20 　　.

작품 속 의자가 보이나요? 아무도 앉지 않은 의자에 초대하고 싶은 사람이 있는지 잠시 생각해 보세요. 아마 지금 함께하고 싶은 소중한 사람들이지 않을까요? 소중한 사람들에게 감사의 마음을 전하는 하루를 보내보시길 바랍니다.

May

25

남편과 단둘이 여행가고 싶은 곳은 어디인가요?

20 .

20 .

20 .

〈신혼여행자들(The Honeymooners)〉이라는 제목에서 알 수 있듯이 달콤한 행복이 느껴지는 작품입니다. 다음 여행지를 함께 결정하는 모습이 아름다워 보이네요. 가야 할 곳을 함께 정하는 부부의 모습에서 느껴지는 것이 있나요?

Edward Frederick Brewtnall, *The Honeymooners,* 1880

Paul Signac, *Place des Lices, St. Tropez*, 1893

May

26

부모님의 꿈 이야기를
들어본 적 있나요?

20 .

20 .

20 .

점을 찍어 그림을 그리는 점묘화로 유명한 화가 폴 시냐크의 작품입니다. 춤을 추는 듯 곡선으로 뻗어 자란 나무들에서 시각적인 리듬감이 느껴지나요? 자신만의 표현방식을 찾고자 했던 폴 시냐크의 실험정신을 느껴보며 작품을 감상해 보세요.

May

27

최근에 춤을 춘 적이 있나요?

20 .

20 .

20 .

화려한 의상을 입은 무희의 모습을 한 모델이 작업실에서 춤추는 짧은 순간을 포착하여 그린 작품입니다. 모델의 우아한 모습을 잡아내기 위해 투명한 수채화 물감을 사용했다고 해요. 하늘하늘한 옷과 옷 사이로 보이는 여인의 실루엣과 동작이 눈앞에서 보이는 것같이 느껴지네요.

James McNeill Whistler, *Green and Blue : The Dancer*, c. 1893
©The Art Institute of Chicago

May

내 인생은
얼마나 왔을까요?

20 .

20 .

20 .

Maxime Maufra, *Douarnenez in Sunshine*, 1897

문득 여행이 가고 싶을 때 좋아하는 음악을 틀어두고 편안한 풍경화를 감상하곤 해요. 음악과 함께 풍경을 즐기는 순간은 여행과 다름없는 기분을 느끼게 해준답니다. 매일 반복되는 일상이 지루하다면 그림을 통해 편안한 여행을 떠나보세요.

May

29

잠이 오지 않는 밤에는 무엇을 하나요?

20 .

20 .

20 .

비밀스럽게 창문 밖을 내다보는 소녀를 보면, 나도 모르게 작품 속 분위기에 빨려 들어가 숨죽이고 그림을 보게 돼요. 잠옷을 입은 어린 소녀는 어두운 방에 서서 무엇을 보고 있는 걸까요?

Edvard Munch, *The Girl by the Window*, 1893
©The Art Institute of Chicago

William-Adolphe Bouguereau, *L'Amour et Psyché, enfants*, 1890

May

30

아이가 어떤 친구를
사귀었으면 좋겠나요?

20　　　　.

20　　　　.

20　　　　.

'사랑 받고 싶다면 사랑하라. 그리고 사랑스럽게 행동하라.'
- 벤자민 프랭클린

May

31

위로가 필요할 때
제일 듣고 싶은 말은?

20 .

20 .

20 .

계단에 앉아 있는 언니에게 뽀뽀하는 아이의 모습이 정말 사랑스럽지요? 제목에 '위로'라는 단어가 있어요. 그림 속 자매에게 무슨 일이 있었을까요? 화가는 제목에 힌트를 숨겨두었어요. 제목과 이미지를 함께 보며 감상해 보세요.

William-Adolphe Bouguereau, *A Little Coaxing*, 1890

June

‘아름다움은 어디에나 있다. 다만 우리의 눈이
그것을 알아보지 못할 뿐이다.’

오귀스트 로댕
Auguste Rodin

June

01

6월부터 12월까지
앞으로의 계획은?

20 .

20 .

20 .

일을 마치고 돌아온 어부들과 해변에서 놀고 있는 아이들을 그린 작품입니다. 맑은 하늘과 푸른 바다의 시원한 파도 소리, 바람에 펄럭이는 하얀 돛의 바람 소리까지 들리는 듯해요. 그림을 보며 기분 좋게 6월을 시작해 보세요.

Joaquín Sorolla y Bastida, *En la costa de Valencia*, 1898
©Museo Nacional de Bellas Artes

Frederic Leighton, *Sol ardiente de junio*, 1899

June

02

하루의 휴가가 주어진다면, 무엇을 하고 싶나요?

20 .

20 .

20 .

6월을 이보다 멋지게 표현한 작품이 있을까요? 타오를 것 같은 색감과 섬세한 붓질이 시선을 한참 붙잡아 두네요. 잠든 여자의 머리, 팔꿈치, 다리까지 드레스가 마치 리듬을 타는 듯 기분 좋은 편안함을 주는 작품을 보며 잠시 쉬어가는 시간을 가져보세요.

June

03

하루 중 아이와 보내는
가장 즐거운 시간은?

20 .

20 .

20 .

꽃이 활짝 핀 정원에서 바느질을 하고 있는 엄마와 꼼지락거리며 놀고 있는 아이의 모습이 담긴 작품입니다. 같은 공간에 있지만 서로 다른 것에 몰입하고 있는 순간이 더없이 아름답게 느껴집니다.

Claude Monet, *Camille Monet and a child in the Artist's Garden in Argenteuil*, 1875

Claude Monet, *Women in the Garden*, 1866

June

04

자주 놀러 가는
나들이 장소는 어디인가요?

20　　　.

20　　　.

20　　　.

높이 2미터가 넘는 아주 큰 작품입니다. 이 작품을 그리기 위해 클로드 모네는 땅에 웅덩이까지 팠다고 해요. 심지어 그림 속 여성들은 모두 화가의 아내인 카미유를 모델로 그렸다고 합니다. 그림의 숨겨진 이야기를 들으면 마치 비밀 이야기를 듣는 듯 재미가 느껴지죠. 이제 다시 한번 그림을 보며 다른 재미를 찾아보세요!

June

05

아이와 가장 좋아하는 스킨십은?

20 .

20 .

20 .

아이가 지금보다 더 어렸을 때의 영상이나 사진을 보면 왜 그리 예쁠까요? 지금 이 순간도 지나고 나면 그저 아름다운 기억만 남을 것 같네요. 그림을 보니 제 아이가 어렸을 적 시절이 떠올라요. 언젠가 그리워질 지금, 한순간이라도 더 눈에 담아 두세요.

Federico Barocci, *Christ Child- Study for the Madonna di San Giovanni*, c. 1565
©The Art Institute of Chicago

June

가장 자유롭다고
느끼는 순간은 언제인가요?

20 .

20 .

20 .

Frederick Childe Hassam, *The Goldfish Window*, 1916

창문으로 들어오는 빛이 그림을 밝혀주는 듯해요. 밝은 배경에 비해서 인물에 쓰인 색조는 다소 어둡게 보이네요. 창문 밖을 향해 있는 아련한 시선과 어항에 갇힌 물고기가 어떤 연관이 있는 걸까요?

June

07

아이와 단둘이
여행을 가본 적이 있나요?

20 .

20 .

20 .

오귀스트 르누아르의 걸작으로 꼽히는 작품입니다. 아름다운 풍경과 앳된 두 자매의 어우러진 모습, 활기 넘치는 붓터치, 생동감 있는 색감들이 보는 이의 기분까지 좋아지게 하죠. 그림 속 편안한 분위기 속으로 들어가 보세요.

Pierre-Auguste Renoir, *Two Sisters*, 1881

아이에게 가장 미안했던 일은?

Claude Monet, *Vétheuil*, 1879

'나는 물과 반사된 이미지의 풍경에 집착하게 되었다. 내 나이에 이것을 그리는 것은 힘에 부치는 일이었지만, 나는 내가 느낀 대로 표현할 수 있기를 원했다.'
- 클로드 모네

June

09

즐겨 듣는 음악이 있나요?

20 .

20 .

20 .

그림 속 여자가 목청껏 노래를 부르고 있네요. 소리는 들리지 않지만 어떤 음을 내고 있는지 알 수 있을 것 같지요? 위를 향한 손과 크게 벌린 입, 치켜든 고개를 보니 낮은 음은 아닐 것 같다는 생각이 들어요. 어떤 음이 들리나요?

Edgar Degas, *Café Singer*, 1879
©The Art Institute of Chicago

Frederick Childe Hassam, *The White Dory, Gloucester,* 1895

June

10

강, 바다, 호수 중 좋아하는 곳은?

20 .

20 .

20 .

우아한 드레스를 입고 뱃놀이를 즐기는 여인을 그린 작품이네요. 모자 끝에 걸린 긴 수평선과 잔잔한 물결이 안정감을 느끼게 해주어요. 잔잔한 물 위에 둥둥 떠 있는 편안한 느낌을 상상하며 감상해 보세요.

June

11

요즘 가장 재미있는 일은 무엇인가요?

20 .

20 .

20 .

맑고 시원해 보이는 시냇물에 여자가 발을 씻고 있는 그림이네요. 작은 터치로 여러 겹의 물감을 단단하게 올려 표현했어요. 터치 하나하나 찍어내는 화가의 손길을 따라 감상해 보세요.

Camille Pissarro, *Woman Bathing Her Feet in a Brook*, 1894/95

Suzanne Valadon, *Andre Utter and His Dogs*, 1932

June

12

생각을 정리하는 시간이 있나요?

20 .

20 .

20 .

개 두 마리와 편하게 앉아 어딘가를 바라보는 남자를 그린 프랑스의 화가 수잔 발라동의 작품이네요. 여성 화가를 인정해주지 않았던 시절, 그림에 대한 열정으로 모델뿐 아니라 화가로도 미술사에 이름을 남겼죠. 작품 속에서 보이는 단단한 선들이 화가의 강인한 내면을 드러내는 것 같아 보이지 않나요?

June

13

보기 싫은 사람이 있나요?

20 .

20 .

20 .

물감을 사용하지 않고 담담하게 그려낸 드로잉이 마음속 깊은 곳을 예민하게 건드리는 느낌이 들어요. 연필이 쓱쓱 지나가는 소리를 상상하며 그림을 감상해 보세요.

Sir David Wilkie, *Guess My Name*, 1821

June

남편과 연애할 때
가장 행복했던 기억은?

20 .

20 .

20 .

Pierre-Auguste Renoir, *Near the Lake*, 1879/80

'벽에 걸어놓을 그림은 사람의 영혼을 맑게 씻어주는 환희의 선물이 되어야 하고, 즐겁고 유쾌하고 예쁜 것이어야 한다.'
- 오귀스트 르누아르

June

15

고치고 싶은
오랜 습관이 있나요?

20 .

20 .

20 .

'오래된 양식을 뒤엎어 버리려거나 새로운 양식을 만들 생각은 전혀 없다. 단지 다른 누구도 아닌 나 자신이 되고자 했을 뿐.'
- 에두아르 마네

Édouard Manet, *Portrait of a Woman with a Black Fichu*, c. 1878

Marsden Hartley, *Still Life No. 15*, c. 1917

June

16

오늘이 인생의 마지막 날이라면
하고 싶은 것 한 가지는?

20 .

20 .

20 .

어두운 공간에 있는 정물이 보여요. 강조된 천의 주름과 꽃의 표현이 독특하죠? 세밀하고 사진 같은 묘사보다 감정이 담긴 그림을 보고 있으면 화가와 친구가 된 듯한 친밀감이 느껴져요. 그림을 통해 친구를 만들어 보세요.

June

17

최근 들은 이야기 중
가장 흥미로웠던 사실은?

20　　　.

20　　　.

20　　　.

참 재미있는 그림이죠? 화려한 핑크색 드레스를 입은 여인이 그네 위에서 신발을 날리며 웃고 있어요. 한 남자는 그네를 밀고 또 다른 남자는 왼쪽 아래에서 손을 뻗고 있네요. 이 세 명은 어떤 관계일까요? 왼쪽에 있는 조각상도 '쉿' 하고 입을 가리고 있어 궁금증을 더하는데요. 애니메이션 '겨울왕국'에서도 이 장면을 찾을 수 있답니다.

Jean-Honoré Fragonard, *The Swing*, c.1767/68

Berthe Morisot, *Young Girl with Hat*, 1892
©The Art Institute of Chicago

June

18

어린 시절로 돌아간다면
어떤 추억을 쌓고 싶나요?

20 .

20 .

20 .

어두운 배경이 화려한 모자를 더 빛내주네요. 그림 속에 들어가 소녀 옆에 앉는 상상을 해보세요. 예쁜 모자를 쓴 소녀는 어디로 가는 걸까요?

June

19

가장 불안한 순간은 언제인가요?

20 .

20 .

20 .

아슬아슬한 긴장감이 그림 속 가득 느껴지는 작품입니다. 우아하게 발끝으로 서 있지만 뾰족한 막대기와 얇디얇은 줄이 분위기를 고조시키죠. 줄 아래서 구경하는 여유로운 관중들과, 줄을 타며 애쓰고 있는 여자의 대비가 감정적으로도 와닿습니다.

Jean Louis Forain, *Tight-Rope Walker*, c. 1885

Frédéric Bazille, *Self - Portrait*, 1865/66

June

20

인간관계에서 중요하게 생각하는 것은?

20 .

20 .

20 .

거울에 비친 자신의 모습을 그린 화가 프레데릭 바질의 작품입니다. 보이지는 않지만 화가의 왼쪽 앞으로 지금 이 자화상이 있었겠네요.. 당시 화가들은 거울을 보고 자신의 자화상을 많이 그렸다고 해요.

June

21

나이가 들어간다는 것은?

20 .

20 .

20 .

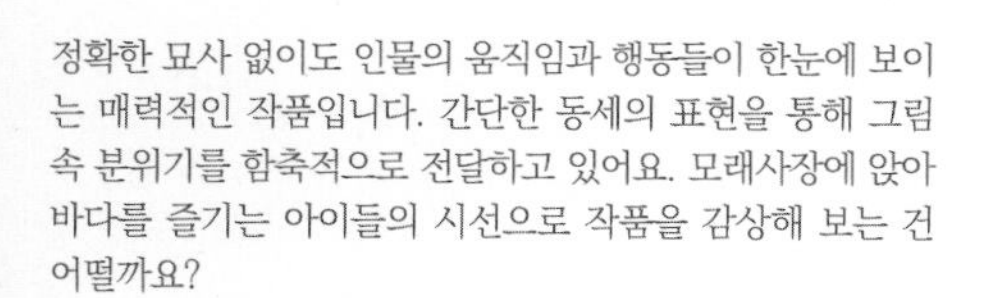
정확한 묘사 없이도 인물의 움직임과 행동들이 한눈에 보이는 매력적인 작품입니다. 간단한 동세의 표현을 통해 그림 속 분위기를 함축적으로 전달하고 있어요. 모래사장에 앉아 바다를 즐기는 아이들의 시선으로 작품을 감상해 보는 건 어떨까요?

Joaquín Sorolla y Bastida, *Rocks at the Lighthouse, Biarritz,* 1906

June

22

사춘기 시절 내 모습은 어땠나요?

윈슬로 호머의 아름다운 수채화 작품입니다. 저녁 안개에 휩싸인 느낌을 만들기 위해 지우고 그리기를 반복했다고 해요. 방금 그린 듯 물에 젖은 듯한 표현이 실제 안갯속에 있는 것 같은 분위기를 만드네요. 수채화의 촉촉한 감성에 빠져 보세요.

Winslow Homer, *The End of the Day, Adirondacks*, 1890
©The Art Institute of Chicago

June

23

내면이 아름다워야 한다는 말은
어떤 뜻일까요?

20 .

20 .

20 .

아이의 머리를 빗겨주며 도란도란 이야기를 나누어 본 적이 있나요? 아이의 부드러운 머릿결을 쓸어내리는 손끝의 감촉을 상상하며 작품을 감상해 보세요. 그림을 한층 더 풍부하게 느낄 수 있을 거예요.

Camille Pissarro, *At the Window, rue des Trois Frères*, 1878/79

Martin Rico y Ortega, *Canal in Venice*, 1880s

June

24

꼭, 가보고 싶은 나라는 어디인가요?

20　　　.

20　　　.

20　　　.

배 위에서 바라본 풍경을 그린 작품입니다. 그림을 보는 것만으로 베니스에서 배를 타고 힐링하는 기분을 느낄 수 있네요. 일상이 답답할 땐 잠시 다른 것들은 미뤄 두고 가상의 배를 타고 그림 속으로 들어가 보세요.

June

25

전생이 있다면
전생에 나는 무엇이었을까요?

20 .

20 .

20 .

꼿꼿한 자세로 부채를 든 여자의 분위기와 배경 속 원시부족의 이미지가 비슷하게 느껴지지 않나요? 왼쪽 아래로 내린 시선을 따라가면 보이는 익은 망고는 다산을 암시한다고 하네요. 화가 폴 고갱은 어떤 이야기를 하고 싶었을까요?

Paul Gauguin, *Merahi metua no Tehamana*, 1893

June

26

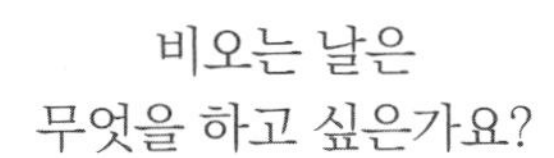

비오는 날은 무엇을 하고 싶은가요?

Gustave Caillebotte, *Paris Street ; Rainy Day*, 1877

20 .

20 .

20 .

가로가 276센티미터에 달하는 큰 작품으로, 실제 인물 크기로 그려진 작품입니다. 각 요소들 간의 균형과 원근법이 독특한 구도를 가지고 있죠? 당시 과장된 원근법이라고 비난받기도 했지만, 화가만의 넓은 앵글로 독특한 파노라마 같은 느낌이 표현되었어요.

June

27

꼭 이루고 싶은 소원이 있다면?

20 .

20 .

20 .

환한 레몬색 드레스를 입은 한 여인이 시간 가는 줄 모르고 책 읽기에 열중하고 있어요. 책을 읽는 여자의 모습을 바라보는 것만으로도 시간이 멈춘 듯 여유로워지는 이유는 무엇일까요?

Jean-Honoré Fragonard, *Young Girl Reading*, c. 1769

Theodore Clement Steele, *A June Idyl*, 1887

June

28

잠자기 전에 아이와 어떤 대화를 나누나요?

20 .

20 .

20 .

화가의 딸 데이지가 시원한 나무 그늘에서 동생에게 책을 읽어주는 시간을 그린 작품입니다. 이야기에 푹 빠져 있는 동생의 뒷모습이 사랑스럽게 다가오네요. 누나는 어떤 이야기를 들려주고 있을까요?

June

29

현재 나의 모습은
내가 바라던 나인가요?

20 .

20 .

20 .

피에트 몬드리안의 고향에 있는 농장을 그린 작품입니다. 단순하게 표현된 농장과 복잡하게 꼬인 가지들이 대조를 이루며 풍경을 만들고 있죠. 물 위에 시선을 집중하고 천천히 감상해 보세요. 진짜 물 위에 비친 듯 어른거리는 이미지들이 매력적이랍니다.

Piet Mondrian, *Farm near Duivendrecht*, c. 1916

Claude Monet, *Étretat : The Beach and the Falaise d'Amont*, 1885
©The Art Institute of Chicago

June

30

멋진 삶이란?

20 .

20 .

20 .

1885년, 노르망디 해안의 에트르타(Étretat)에 도착한 클로드 모네는 9월부터 12월까지 총 51점의 작품을 남겼다고 해요. 이 그림은 그중의 하나랍니다. 해변과 바다, 하늘의 각각 다른 터치감이 화면 안에서 지루함을 없애주는 역할을 하는 것 같아요. 바다에 가면 클로드 모네의 작품을 떠올려보세요.

6개월의 시간

지난 6개월 동안 감사한 일을 적어 보세요.

앞으로 남은 6개월의 시간에 꼭 하고 싶은 일은 무엇인가요?

즐거움

July

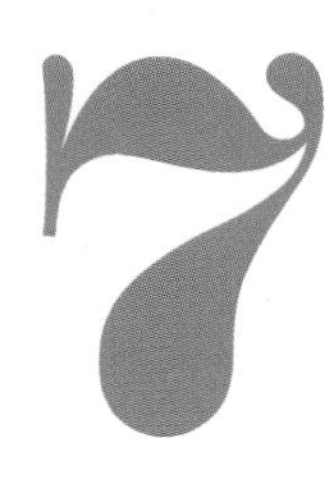

'아침에 눈을 뜨면 무엇보다도 먼저
'오늘은 한 사람에게만이라도 기쁨을 주어야겠다'는
생각으로 하루를 시작하라.'

프리드리히 니체
Friedrich Nietzsche

July

01

떠나고 싶은 휴가지는?

20 .

20 .

20 .

펄럭이는 옷자락을 보니 잔잔한 바람이 불어오는 날 해변인 것 같아요. 유쾌하고 즐거운 그림. 그 자체로 기분이 좋아지네요. 〈휴일〉이라는 제목처럼 그림 속에서 잠시 자유로운 기분을 느껴보세요.

Edward Henry Potthast, *A Holiday*, c. 1915
©The Art Institute of Chicago

July

02

유독 잊혀지지 않는
꿈이 있나요?

20 .

20 .

20 .

Henri Rousseau, *Exotic Landscape*, 1910

'이국의 낯선 식물을 볼 때면 나는 꿈을 꾸고 있는 듯한 기분이 든다.'
- 앙리 루소

July

03

두고두고
읽고 싶은 책의 제목은?

20 .

20 .

20 .

빛을 가리듯 얼굴에 손을 얹고 마치 책을 읽다가 멈춘 듯 쳐다보는 마담 프랑수아 부롱을 그린 초상화입니다. 화려한 옷과 책표지의 뛰어난 묘사가 눈을 즐겁게 해주네요. 그림 속 인물은 어떤 책을 읽고 있었을까요?

Jacques-Louis David, *Madame François Buron*, 1769
©The Art Institute of Chicago

Raoul Dufy, *Still life*, 1928

July

04

7월을 잘 보내는
나만의 계획은?

20 .

20 .

20 .

'라울 뒤피의 작품은 즐거움 그 자체다.'
- 거트루트 스테인
그림 속 가벼운 선들이 경쾌한 리듬감을 주는 듯 느껴져요. 손가락을 그림 위에 올리고 선을 따라가 보세요. 빠른 선은 빠르게 느린 선은 느리게. 꼭 눈으로만 감상하지 않아도 됩니다. 온몸을 통해서 그림을 느껴보세요.

July

05

아이와 가장 즐거웠던 순간은 언제였나요?

20 .

20 .

20 .

푸르스름한 배경과 푸른색 옷, 파란색 눈을 가진 아이의 초상화입니다. 화가 장 바티스트 페로노는 오일 파스텔로 여러 점의 초상화를 남겼답니다. 이 작품도 그중 한 점이죠. 그림 속 소년은 개구쟁이 같은 모습과 의젓한 모습이 동시에 보이네요. 어떤 모습이 더 많이 보이나요?

Jean-Baptiste Perronneau, *Portrait of Jean-Baptiste Antoine Le Moyne*, 1747
©The Art Institute of Chicago

July

06

3년 후 나는
어떤 삶을 살고 있을까요?

Édouard Vuillard, *Landscape - Window Overlooking the Woods*, 1899

20 .

20 .

20 .

하늘 위 비행기에서 집과 건물들을 보고 있으면 '내가 참 작은 존재구나'라는 생각이 들어요. 이 작품 속에도 멀리서 바라본 아주 작은 사람들이 그려져 있답니다. 가끔은 나를 아주 멀리서 바라보세요. 지금의 고민과 아픔이 별거 아니라는 듯 느껴질 거예요.

July

친구들과 가장 기억에
남는 시간은 언제였나요?

20 .

20 .

20 .

조각상이 떠오르는 자태의 여자 두 명이 바닷가 바위 그늘에 앉아 있네요. 각자 다른 곳을 보고 있는 걸 보니 서로 다른 생각을 하고 있는 걸까요? 어떻게 느껴지나요?

Pierre Puvis de Chavannes, *In the Heather*, 1896

July

특별히 기억에 남는
가족 여행지가 있나요?

20　　　.

20　　　.

20　　　.

양귀비꽃을 유난히 그림에 많이 등장시켰던 클로드 모네의 작품입니다. 〈아르장퇴유 근처의 양귀비 들판, 1873〉과 〈양귀비밭, 1875〉, 〈베퇴유 인근의 양귀비밭, 1879〉, 〈지베르니, 1890〉 작품들도 찾아보면 모네의 양귀비꽃 사랑을 느낄 수 있을 거예요.

Claude Monet, *Poppy Field(Giverny)*, 1890/91
©The Art Institute of Chicago

July

09

하루 중 가장 힘든 시간은?

20 .

20 .

20 .

'가장 어두운 밤도 언젠가 끝나고 해는 떠오를 것이다.'
- 빈센트 반 고흐

Vincent van Gogh, *Madame Roulin Rocking the Cradle(La berceuse)*, 1889

아이와 자주 함께 그림을 그리나요?

Pierre-Auguste Renoir, *Coco lisant*, 1905
©Musée d'Orsay

그림 속 예쁜 아이는 화가 오귀스트 르누아르의 막내 아이라고 해요. 딸을 바라보는 아빠의 사랑스러운 시선으로 그린 작품이라 그런지 유독 더 사랑스러워 보여요. 부드러운 붓질과 따뜻한 색감으로 아이를 묘사하여 따뜻함까지 전해지는 것 같습니다. 종이를 가지고 노는 아이의 순수함이 주는 시각적 즐거움을 느껴보세요.

July

11

아이의 손을 잡고 걸으면 어떤 느낌이 드나요?

20　　　.

20　　　.

20　　　.

사랑스러운 모녀가 다정하게 손을 잡고 가고 있는 작품이에요. 이 그림을 보고 있으면 들판에 꽃 대신 아이와 여자가 있는 것처럼 아름답게 느껴진답니다. 부드러운 옷의 느낌과 색감이 아이의 가벼운 발걸음과 어우러져 밝은 분위기를 만들어내네요.

Pierre-Auguste Renoir, *Promenade*, c. 1906

Frederick Childe Hassm, *The South Ledges, Appledore*, 1913
©Smithsonian American Art Museum

July

바다를 보면
떠오르는 생각은 무엇인가요?

20 .

20 .

20 .

혼자 바다를 보러 떠나는 여행을 상상하게 해주는 작품이네요. 바위에 앉아 아무런 방해도 받지 않고 파도 소리를 듣고 싶어져요. 작품 속 여자가 되었다고 상상하고 잠시 파도 소리를 들어보세요.

July

13

최근 아이에게 사준 옷 중에
가장 귀여웠던 옷은?

20 .

20 .

20 .

독특한 의상을 입고 있는 소녀를 그린 작품입니다. 가끔 아이가 재미있는 옷을 입은 것을 보면 피식하고 웃음이 나죠? 아이의 우스꽝스러운 사진을 보듯 미술 감상도 가벼운 마음으로 즐겨보세요.

Samuel Lovett Waldo, *Harriet White*, 1835/40

Pierre-Auguste Renoir, *Dance in the Country*, 1883

July

14

상상만 해도
즐거운 일이 있나요?

20 .

20 .

20 .

'그림은 즐겁고 아름다워야 한다'고 했던 화가, 오귀스트 르누아르의 작품입니다. 여자의 치마는 펄럭이고 남자의 모자는 바닥으로 떨어져 있네요. 지금 막 신나게 춤을 추며 빙그르 돌았나 봅니다. 뒷배경이 흐릿하게 표현된 것이 마치 카메라의 아웃포커싱 같아 보이네요.

July

15

더운 여름을 보내는 나만의 방법은?

20 .

20 .

20 .

희미한 선으로 얼굴의 윤곽을 그린 드로잉입니다. 자세한 묘사보다 흐릿한 윤곽으로 표현되어 있어 감상자가 상상할 여지가 더 많이 남아있는 것 같아요.

Amedeo Modigliani, *Head of Anatolia*, 1900/20
©The Art Institute of Chicago

Jean-Honoré Fragonard, *Girl with a dog(La Gimblette)*, c. 1770
©Alte Pinakothek, Munich

July

16

아이와 내가
좋아하는 동물은?

20 .

20 .

20 .

강아지가 얼마나 예쁜지 침대까지 데리고 와서 다리에 올려 두고 놀고 있어요. 아이의 해맑은 모습에 흐뭇해지네요. 현대미술가 제프 쿤스가 〈Gazing Ball(Fragonard Girl with Dog), 2017〉로 재구성하기도 했죠. 작품을 감상으로 끝내지 말고 연관된 작가나 작품들로 확장해 보는 것도 미술을 즐기는 방법이랍니다.

July

17

사랑하는 사람에게
부탁하고 싶은 것이 있나요?

20 .

20 .

20 .

웃으며 무언가 건네주는 여자와 아이가 그려진 작품이에요. 인물들의 상황도 재미있지만 뒷배경 열린 문 사이로 젖혀진 창문과 의자, 벽에 걸린 그림 속 인물까지 아주아주 길고 재미있는 이야기가 숨어있을 것 같지 않나요?

Pieter de Hooch, *Woman with a Child in a Pantry*, c. 1650/60

July

18

나는 타인의 시선으로부터
자유로운 편인가요?

20 .

20 .

20 .

프레드릭 칼 프리세케는 어린 시절 할머니 손에서 성장하면서 예술가의 꿈을 키우고 이뤘다고 해요. 여성의 아름다운 인체에 관심이 많아 이를 소재로 한 많은 작품을 남겼죠. 집이 아닌 곳에서 누드로 있는 여자의 모습이 낯설게 다가오긴 하지만, 낯섦 속에서 자유로움이 느껴지기도 합니다.

Frederick Carl Frieseke, *On the Bank*, c. 1915

July

19

오랜 꿈이 있나요?

20 .

20 .

20 .

'자신의 꿈을 지키는 것은 인생의 의무이다.'
- 아메데오 모딜리아니

Amedeo Modigliani, *Portrait of a Woman*, c. 1917/19

July

내 삶에서
가장 소중한 것은 무엇인가요?

20 .

20 .

20 .

Pierre-Auguste Renoir, *Madame Georges Charpentier and Her Children, Georgette-Berthe and Paul-Émile-Charles*, 1878 ©The Metropolitan Museum of Art

아름다운 그림만 그리려고 했던 오귀스트 르누아르. 하지만 힘들고 가난한 어린 시절을 보낸 반전 매력의 소유자이기도 합니다. 힘들지만 세상의 아름다운 모습을 더 많이 보려고 했던 자세를 그림을 통해 전해주네요.

July

21

추억이 담긴
소중한 물건 3가지는?

20 .

20 .

20 .

라파엘 필이 활약하던 시기는 미국에서 정물화가 제대로 인정받지 못한 시대였어요. 그럼에도 불구하고 묵묵히 본인만의 화풍을 고수했죠. 선명한 형태와 고요하게 균형 잡힌 구성에서 화가의 우직함이 느껴지네요.

Raphaelle Peale, *Still Life - Strawberries, Nuts, &c.*, 1822

July

22

가장 자신있는
나만의 요리는 무엇인가요?

20 　　.

20 　　.

20 　　.

French School, *Still Life with Eggs and a Leg of Mutton*, 1780/90

그림을 보면서 매일 정신없는 우리집 주방 같아 웃음이 납니다. 아이를 기르며 가장 힘든 것이 매 끼니 밥 먹이는 일인 것 같아요. 어질러진 주방을 보면 힘이 빠지지만, 잘 먹는 아이 모습을 보면서 다시 요리할 힘을 얻는답니다.

July

23

가장 보기 힘든 진실은 무엇인가요?

20 .

20 .

20 .

Paul Gauguin, *Tahitian Women on the Beach*, 1891
©Musée d'Orsay

'나는 보기 위해 눈을 감는다.'
– 폴 고갱

Rajasthan, Bundi, *Royal Women Feeding Fish*, c. 1740

July

24

말 없이 함께 있어도
편안한 사람은 누구인가요?

20 .

20 .

20 .

바닥에 풀썩 앉아 물고기에게 밥을 주는 두 여인이 보이나요? 말없이 있어도 편한 사이 같아요. 그림을 자세히 보면 한 남자가 서 있네요. 나무 뒤에 숨어 몰래 지켜보는 수상한 남자는 누구일까요?

July

25

아주아주 작아진다면 해보고 싶은 일이 있나요?

20 .

20 .

20 .

구두 위로 난쟁이 같기도 하고 요정 같기도 한 작은 사람들이 보이네요. 신발이 커서일까요, 사람이 요정만큼 작은 걸까요? 굉장히 재미있는 상황인 것 같아요. 어린아이같이 즐거운 상상을 해보세요.

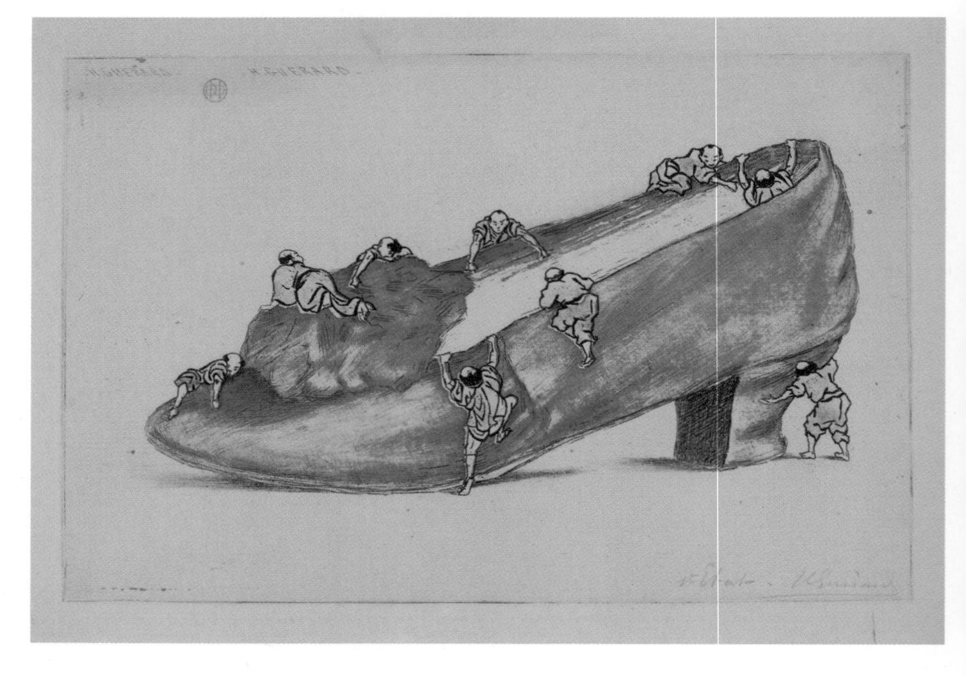

Henri Charles Guérard, *The Assault of the Shoe*, 1888

July

26

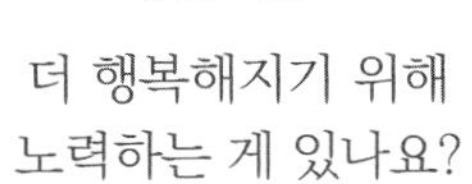

더 행복해지기 위해
노력하는 게 있나요?

20 .

20 .

20 .

Camille Pissarro, *Haymaking at Éragny*, 1892

화창한 날씨에 일하고 있는 모습의 이 그림을 보면 에너지가 그대로 전달되는 것 같아요. 가끔 힘이 없거나 지치는 날에는 힘이 나는 작품을 감상하며 힘을 얻어 보세요.

July

27

가족과 함께 하는
가장 즐거운 순간은?

20 .

20 .

20 .

오귀스트 르누아르의 가족을 그린 작품입니다. 모두 한껏 멋을 내고 어디로 가는 걸까요? 아기 옆에 앉아있는 여자는 아이들을 돌봐주는 베이비시터라고 해요. 오귀스트 르누아르의 다른 작품에 종종 등장하죠. 다른 작품에서도 한번 찾아보세요.

Pierre-Auguste Renoir, *The Artist's Family*, 1896

August Macke, *Woman in Green Jacket,* 1913
©Museum Ludwig, Cologn

July

28

내 성격은
사교적인 편인가요?

20 .

20 .

20 .

햇빛이 비치는 날 나무 아래에 있어 본 적이 있나요? 나뭇잎 사이사이로 들어오는 아름다운 빛을 볼 수 있죠. 이 작품에서도 그 빛의 흐름이 보인답니다. 천천히 관찰하는 재미를 느껴보세요.

July

29

즐거운 일이 생기면 제일 먼저 연락하는 사람은?

20 .

20 .

20 .

그림 아래쪽에 두 손이 보이나요? 얼굴도 나오지 않았는데 느껴지는 강한 존재감. 손끝으로 수많은 무용수의 움직임을 지시하는 카리스마가 느껴져요. 화가의 감각적인 구도와 치밀한 의도에 감탄하는 작품입니다.

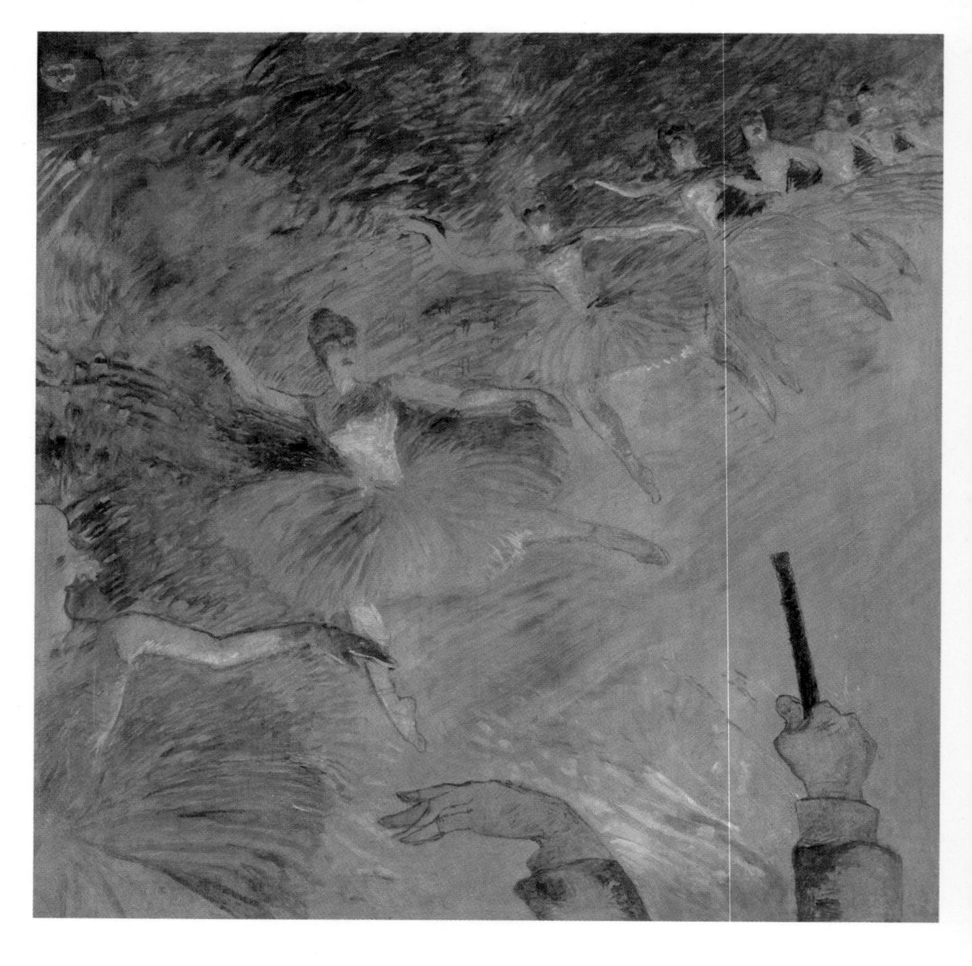

Henri de Toulouse-Lautrec, *Ballet Dancers*, 1885/86
©The Art Institute of Chicago

Edgar Degas, *Nude Woman Standing, Drying Herself*, 1891/92

July

30

최근에 가장
즐거웠던 일은?

20 .

20 .

20 .

샤워 후 서서 머리를 말리는 여자를 드로잉한 작품입니다. 침대 위에 늘어진 옷들과 단순하고 빠른 선이 속도감 있게 다가오네요. 드로잉이 주는 매력을 느껴보며 감상해 보세요.

July

31

내가 좋아하는 나의 표정은?

20 .

20 .

20 .

두 꽃병에 담긴 노란색 장미꽃을 바라보고 있는 여자. 손을 포개어 턱을 받치고 바라보며 무슨 생각을 하는 걸까요? 배경 속 거울에 비친 또 다른 여자는 누구일까요? 그림 한 점에 다양한 이야기가 만들어지는 것처럼 나만의 다양한 이야기를 만들어 보는 것은 어떨까요?

Frederick Childe Hassm, *Maréchal Niel Roses*, 1919
©Smithsonian American Art Museum

생기

August

'예술이 존재하는 한,
예술은 세월을 초월하는 아름다움을 지닐 수 있다.
그 아름다움을 위해 나는 예술을 더욱 완전하게 만들 것이다.'

미켈란젤로 부오나로티
Michelangelo Buonarroti

August

01

'우울함'의 반대말은 뭘까요?

20 .

20 .

20 .

축 처진 어깨와 힘 없이 늘어진 손, 생기 없는 표정에서 우울한 감정이 그대로 느껴집니다. 어두운 배경과 축 늘어진 나뭇잎들도 어두운 분위기를 만들어요. 그림 속 여자는 왜 우울함을 느끼고 있을까요? 작은 위로의 한마디를 건네보세요.

Constance Charpentier, *La Mélancolie*, 1801

George Frederick Watts, *A Lamplight Study_ Herr Joachim*, 1868

August

02

좋아하는 음악 장르는?

20 .

20 .

20 .

입술을 꼭 닫은 채 바이올린을 켜고 있는 남자를 그린 작품입니다. 빠른 템포의 음악보다는 느리고 잔잔한 음악이 들릴 것 같네요. 혹시, 귓가에 맴도는 음악이 있나요?

August

03

눈을 감으면 떠오르는 장면은?

20 .

20 .

20 .

푸른 바다와 모래 해변의 비율이 거의 비슷하게 나뉘어 있는 작품입니다. 가로선이 중심을 잡고 있어서 안정적으로 느껴져요. 평화로운 바닷가를 거니는 사람들을 바라보며 잠시 그림 속에 머물러 쉼을 가져보세요.

Helen Mcnicoll, *An English beach*, c. 1910

Armand Berton, *Esquisse pour le salon des Sciences de l'Hôtel de Ville de Paris : L'Eau*, 1889/90 ©Petit Palais

August

04

활력 있는 8월을 보낼 수 있는 방법은 무엇일까요?

20 .

20 .

20 .

그림 속 인물이 막대에 온몸의 모든 힘을 싣고 있는 것이 느껴지나요? 속도감 있는 터치가 감상자의 활력까지 북돋아 주는 것 같네요. 가끔 무기력해질 때는 활력 있는 작품을 감상하며 에너지를 얻어보세요.

August

05

최근에 아이가 성장했다고 느꼈던 순간은?

20 .

20 .

20 .

장난기 가득한 아이의 모습이 보이나요? 그런 아이가 너무 사랑스러운 듯 엄마의 모습도 아주 밝아요. 무릎 위의 꽃과 엄마 치마 밑으로 살짝 보이는 잎사귀, 왼쪽 배경의 꽃병에서 빠진 꽃을 보니, 아이가 이미 한바탕 장난을 부린 후라는 것을 알 수 있답니다.

John Ottis Adams, *Portrait of Martha Wysor Marsh and Son John Edwin*, 1892
©Indianapolis Museum of Art(Newfields)

Johann Georg Meyer von Bremen, *Gretchen's Favorite*, 1881

August

06

무엇을 할 때
가장 활기가 생기나요?

20 .

20 .

20 .

여자아이가 인형을 안고 즐거운 듯 미소 짓고 있는 작품이네요. 아기를 안고 있는 자세를 보니 소중하게 아끼는 인형인 것 같아요. 아이의 미소가 어두운 화면을 밝은 분위기로 만드는 것 같습니다.

August

07

아이가 잠든 동안
무엇을 하며 시간을 보내나요?

20 .

20 .

20 .

아이가 엄마 품속에서 모든 긴장을 내려놓고 깊은 잠에 빠졌네요. 엄마 품만큼 따뜻하고 편한 곳이 있을까요?

Sassoferrato, *Madonna and Child*, 1685

Alfred Stevens, *At the Railway Station*, c.1874
©The Art Institute of Chicago

August

08

두려움이 다가올 땐
어떻게 이겨내나요?

20 .

20 .

20 .

한 여자가 짐 가방을 들고 기차역에 우두커니 앉아있어요. 고민스러운 듯 손으로 이마를 짚고 있고, 강아지마저 힘겹게 오른팔에 기대어 있네요. 먼 곳을 응시한 채 골똘히 무슨 생각에 잠긴 걸까요?

August

09

즐거운 여름밤을 보내기 위한 특별한 계획이 있나요?

20 .

20 .

20 .

Harald Sohlberg, *Summer night*, 1899
©The National Museum, Oslo

하랄 솔베르그가 그린, 결혼을 상징하는 작품입니다. 그림 속 탁자가 마치 허니문 여행의 테이블 같지 않나요? 탁 트인 풍경과 시원한 밤공기, 로맨틱한 분위기까지…. 그림 속에서 시원한 여름밤을 즐겨보시길 바랍니다.

Maurice Denis, *White Maternity*, 1923

August

10

그림을 보고 떠오르는 제목은?

20 .

20 .

20 .

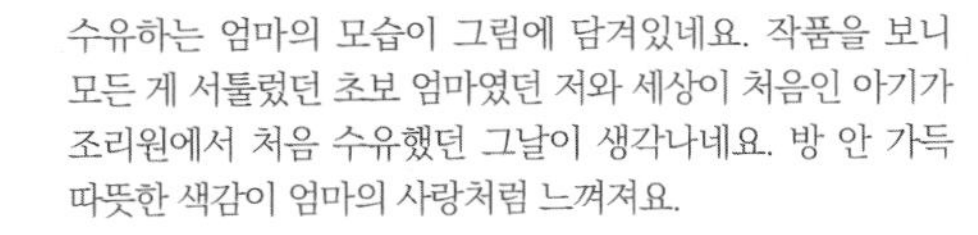

수유하는 엄마의 모습이 그림에 담겨있네요. 작품을 보니 모든 게 서툴렀던 초보 엄마였던 저와 세상이 처음인 아기가 조리원에서 처음 수유했던 그날이 생각나네요. 방 안 가득 따뜻한 색감이 엄마의 사랑처럼 느껴져요.

August

11

온 힘을 다해 이루고 싶은 한 가지가 있다면?

20 .

20 .

20 .

엄청난 힘을 실어 도끼를 휘두르는 남자. 몸의 동세와 얼굴 표정, 근육들이 결정적 순간을 향해 가고 있는 듯 긴박해 보여요. 그림 양쪽으로 그려진 나무들이 시선을 한층 더 모아주는 효과로 작용하고 있어요. 'N' 자 형태의 구도 또한 작품 속 긴장감을 끌어올리는 듯 느껴집니다.

Ferdinand Hodler, *Woodcutter*, 1910

Théophile Emmanuel Duverger, *The Lesson*, before 1886

August

12

초등학생 시절의 나는
어떤 아이였나요?

20　　.

20　　.

20　　.

한 아이는 무릎을 꿇고 있고 또 다른 아이는 서서 울고 있어요. 교실에서 무슨 일이 있었던 걸까요? 왼쪽 바닥에 떨어진 공책이 이야기의 힌트를 주는 것 같네요. 우는 두 아이를 쳐다보고 있는 배경 속 아이가 되어 어떤 일이 있었는지 상상해 볼까요?

August

13

나는 어떤 사람인가요?

20 .

20 .

20 .

'고개 숙이지 마십시오. 세상을 똑바로 정면으로 바라보십시오.'
- 헬렌 켈러

Georges Lemmen, *Portrait of the Artist's Sister*, 1891

August

14

어떤 향기를 좋아하나요?

Berthe Morisot, *Forêt de Compiègne*, 1885

20 .

20 .

20 .

나무 냄새가 가득 느껴지는 작품이네요. 푸르른 색감과 여러 방향의 터치들. 작품에서 생기가 느껴집니다. 화가는 우리에게 무엇을 보여주고 싶었을까요?

August

15

가장 좋아하는 음식은?

20 .

20 .

20 .

프랑수아 봉뱅은 4살 때 어머니가 결핵으로 죽고 계모의 학대로 영양실조까지 얻었다고 해요. 누군가의 따뜻한 식사를 준비하는 여자의 뒷모습은 화가에게 무엇을 의미했을까요?

François Bonvin, *The Maid*, c. 1875

Johann Georg Meyer, *Het jongste broertje*, 1833/53

August

16

우리 집 분위기 메이커는 누구인가요?

20 .

20 .

20 .

요람에서 자고 있는 아기를 바라보는 아이들이 보입니다. 사랑스러운 눈빛이 녹아들 듯 따뜻하게 느껴지네요. 동생 어깨에 얹은 손에서도 깊은 우애가 묻어납니다. 세 아이에게 집중되는 따뜻한 빛이, 아마도 이 그림을 통해 화가가 전하고 싶은 메시지가 아닐까요?

August

17

내 가족은 어떤 사람들인가요?

20　　.

20　　.

20　　.

그림 속 가족들의 얼굴을 보면 어딘가 묘하게 모두 닮아 보이네요. 세로로 길쭉한 얼굴형, 입 모양, 눈 모양과 표정까지도요. 나와 닮은 가족들의 얼굴을 떠올려보며 재미있게 그림을 감상해 보세요.

Ezra Ames, *Mrs. Noah Smith and Family*, c. 1830

Gustav Klimt, *Mäda Primavesi*, 1912/13
©The Metropolitan Museum of Art

August

18

나의 아홉 살 시절은 어땠나요?

20　　　.

20　　　.

20　　　.

구스타프 클림트가 50세에 그린 아홉 살 여자아이의 초상화예요. 이 작품을 그리기 위해 그는 200점 이상의 스케치를 했다고 해요. 당당한 자세로 정면을 응시하며 서 있는 아홉 살의 나와 잠시 대화를 나눠보세요.

August

19

스스로 칭찬해주고 싶은 나의 장점은?

20 .

20 .

20 .

앵무새를 안고 있는 여인을 파스텔로 그림 작품입니다. 파스텔 특유의 부드러운 질감이 여성미를 극대화해주는 것 같아요. 여자의 옷을 물고 장난치고 있는 앵무새를 표현한 점도 재치 있게 느껴져요.

Rosalba Carriera, *A Young Lady with a Parrot*, c. 1730

Fredrick Childe Hassam, *New England Headlands*, 1899
©The Art Institute of Chicago

August

20

혼자 여행을 떠난다면
어떤 계획으로 가고 싶나요?

20 .

20 .

20 .

정사각형 캔버스에 잔잔한 터치로 그려진 풍경화 작품이에요. 평화롭고 밝은 느낌이 마음을 시원하게 식혀주는 것 같아요. 높은 곳까지 걸어 올라가지 않고도 이런 풍경을 느낄 수 있는 것이 미술 감상의 매력 아닐까요?

August

21

아이와 있을 때
가장 편한 시간은 언제인가요?

20 .

20 .

20 .

붉은색 카펫이 깔린 방바닥에 앉은 아이가 무언가 가지고 놀고 있네요. 반짝이는 눈으로 세상을 탐색하는 아이를 바라보고 있으면 피곤이 사라지는 기분이 들어요. 흐뭇한 표정으로 아이를 내려다보고 있는 그림 속 여자의 감정에 동화되는 것 같아요.

Félix Edouard Vallotton, *The Red Room, Etretat*, 1899

Rosa Bonheur, *Cattle at Rest on a Hillside in the Alps*, 1885

August

22

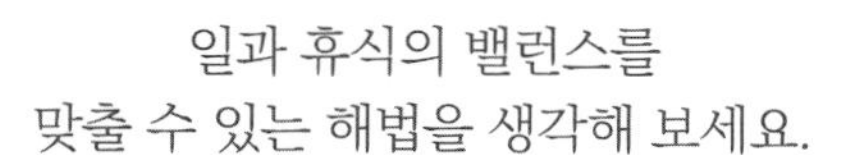

일과 휴식의 밸런스를
맞출 수 있는 해법을 생각해 보세요.

20 .

20 .

20 .

프랑스의 여성 화가 로자 보뇌르는 글 읽기를 어려워했다고 해요. 고민하던 화가의 어머니는 동물을 그리게 하면서 읽기와 쓰기를 가르쳤다고 합니다. 그래서일까요? 화가의 작품에는 동물이 등장하는 그림이 많답니다.

August

23

빠른 걸음으로 신나게 가고 싶은 곳은?

20 .

20 .

20 .

거리를 걷는 개의 움직임이 수많은 선으로 표현되어 있어 애니메이션 효과 같아 보이기도 해요. 강아지가 꼬리를 팔랑거리며 방정맞게 걸어 다니는 것 같아 웃음이 나는 그림입니다. 아이와 함께 감상하며 각자의 생각을 나누어 보아도 좋겠네요.

Giacomo Balla, *Dynamism of a Dog on a Leash*, 1912
©Buffalo AKG Art Museum

Jean Baptiste François Désoria, *Portrait of Constance Pipelet*, 1797

August

24

오늘 결정한 선택들에
만족하나요?

20 .

20 .

20 .

'인생에서 원하는 것을 얻기 위한 첫 번째 단계는 내가 무엇을 원하는지 결정하는 것이다.'
- 벤 스타인

August

25

가장 최근에 수영했던 기억은?

20 .

20 .

20 .

단순하지만 지루하지 않은 구도의 작품입니다. 물속에 있는 사람들의 표현이 유독 흥미롭게 느껴져요. 맑고 시원한 물속에 있다고 상상하며 감상해 보세요. 한층 더 풍부한 감각을 느낄 수 있답니다.

Edvard Munch, *Boys Bathing*, 1896
©The Art Institute of Chicago

August

26

하루 중 가장 활기찬 시간은
언제인가요?

Moritz von Schwind, *Early Morning*, 1860

20 .

20 .

20 .

아름다운 아침 풍경에 빠져, 의자 위에 잠옷을 던져 둔 채 창밖을 바라보고 있는 모습을 그린 작품입니다. 기분 좋은 아침 햇살이 집 안에 드리워져 평화롭게 보이네요. 유난히 예쁜 아침 햇살이 있죠? 그림 속 여인처럼 내일 아침 햇살이 기다려지네요.

August

27

꾸준하게 해오고 있는 일은 무엇인가요?

20 .

20 .

20 .

클로드 모네는 아무리 춥거나 더워도 야외에서 14시간 이상 쉬지 않고 그림을 그렸어요. 바닷가 바위 위에서 그림을 그리다가 그림과 함께 파도에 쓰러지는 일도 있었다고 합니다. 빛과 그림에 진심이었던 그의 열정이 녹아든 작품을 보며 화가의 열정을 느껴봅니다.

Claude Monet, *Bordighera*, 1884

August

28

모임을 좋아하는 편인가요?

Peder Severin Krøyer, *Hip, Hip, Hurra*, 1888

20 .

20 .

20 .

남자들은 일어서서 건배하고 여자들은 앉아서 파티를 즐기는 모습이네요. 테이블 위에 비어있는 병들을 보니 파티가 무르익었다는 것을 알 수 있죠. 때로는 친구들과 함께하며 스트레스를 푸는 시간도 가져보세요.

August

29

가족과 함께하는 식사의 횟수는?

20 .

20 .

20 .

이탈리아 출신의 화가 주세페 데 니티스의 아내와 아들을 그린 작품입니다. 햇살이 따스하게 내리쬐는 정원에서의 여유로운 아침 식사 시간을 담아냈어요. 앞쪽으로 보이는 빈 의자는 화가의 자리였겠지요? 안타깝게도 이 그림을 완성하고 그해 39세의 나이로 뇌졸중으로 생을 마감했다고 해요.

Giuseppe de Nittis, *Breakfast in the Garden*, 1883

Katsushika Hokusai 葛飾 北斎, Under the Wave off Kanagawa, also known as The Great Wave, from the series Thirty-Six Views of Mount Fuji, 1830/33 ©The Art Institute of Chicago

August

30

파도 소리를 들으면
어떤 생각이 떠오르나요?

20 .

20 .

20 .

'삶은 바닷가를 여행하는 것과 같다. 맑고 고요한 날이 있는가 하면, 폭풍이 몰아치는 날도 있다. 가장 중요한 것은, 우리가 우리 배의 유능한 선장이 되는 것이다.'
– 하신토 베나벤테

August

31

행복했던
키스의 기억은?

20 .

20 .

20 .

격렬한 키스를 하는 남녀의 얼굴이 보이지 않아 더 신비롭게 보여요. 치마의 정교한 주름을 비추는 밝은 빛이 에로틱함을 더 높여주는 요소로 작용하고 있어요. 섬세한 빛의 표현을 감상해 보세요.

Francesco Hayez, *The kiss*, 1859
©Pinacoteca di Brera

믿음

September

'자신을 믿는 순간
어떻게 살아야 하는가를 깨닫게 될 것이다.'

요한 볼프강 폰 괴테
Johann Wolfgang von Goethe

September

01

간절히 바라는 것이 있나요?

20 .

20 .

20 .

발그스레한 볼의 예쁜 금발 아이가 두 손을 모으고 얌전하게 기도하고 있어요. 간절함이 느껴지나요? 덕분에 이 그림은 옛날 버스나 택시 운전석 근처에 '오늘도 무사히'라는 글과 함께 걸려있기도 했어요. 모작도 많고 오스트레일리아에서는 우표로도 만들어지기까지 할 만큼 인기가 많은 그림이랍니다.

Joshua Reynolds, *The Infant Samuel*, 1776
©Musée Fabre

Elizabeth Nourse, *Sous les arbres(Under the Tree)*, 1902
©Sheldon Museum of Art

September

02

아이에게 어떤 믿음을 주는 엄마이고 싶나요?

20 .

20 .

20 .

부드럽고 섬세한 감정을 느낄 수 있는 작품입니다. 혼자서는 걷지 못하는 어린아이를 앉혀두고 꽃을 흔들며 놀아주고 있네요. 턱에 손을 괴고 여자는 무슨 생각에 잠겼을까요?

September

03

화려한 파티에 초대받으면
어떤 옷을 입고 싶은가요?

20 .

20 .

20 .

사진을 잘라 그림 위에 붙이는 콜라주 기법으로 완성된 작품입니다. 그림은 표현하는 재료와 기법에 따라 느껴지는 감정이 매우 달라져요. 미술 작품을 보면서 다양한 재료와 기법에 대해 알아가는 것도 하나의 재미랍니다.

Mary Georgiana Caroline, Lady Filmer, *Lady Filmer in her Drawing Room*, 1863/68

Salomon Savery, *Student at a Table by Candlelight*, 1642/65

September
04

생각만으로도
무서운 경험이 있나요?

20 .

20 .

20 .

작은 촛불이 짙은 어둠 안에서 조용히 빛을 내고 있어요. 검은 색으로만 표현되어 있어 어둠이 더 강하게 느껴지는 판화 작품입니다. 수많은 선으로 만들어진 면의 질감이 주는 느낌이 인물의 심리를 드러내는 듯 느껴집니다.

September

05

변하지 않는다고
생각하는 것은?

20 .

20 .

20 .

꽃병을 지키듯 눈을 크게 뜨고 빤히 정면을 보고 있는 고양이가 보여요. 고양이와 잠시 눈을 맞춰 보세요. 어떤 말을 걸어오나요?

Paul Gauguin, *Still Life with Cat,* c.1899

Paul Sérusier, *The Harvest of Buckwheat*, 1899

September

06

성취감이 높은 일은 무엇인가요?

20 .

20 .

20 .

'사람들이 일에서 행복을 얻기 위해서는 3가지가 필요하다. 적성에 잘 맞아야 하고, 너무 많이 해서는 안 되며, 성취감을 얻을 수 있어야 한다.'
- 존 러스킨

September

07

배우가 된다면
어떤 역할을 해보고 싶나요?

20 .

20 .

20 .

한껏 멋을 낸 배우가 모델로 그려진 그림이네요. 짙은 초록 벨벳 소재의 재킷이 인상적으로 다가와요. 커다란 산도 인물 뒤에서 작은 배경으로 어렴풋이 보여서인지 남자가 커다란 자연을 정복한 듯한 기세가 느껴집니다.

Ferdinand Georg Waldmüller, *The Actor Maximilian Korn in a Landscape*, 1828
©The Art Institute of Chicago

September

08

내가 생각하는 아름다움이란?

Sandro Botticelli, *Nascita di Venere*, c. 1485
©Uffizi Gallery

20 .

20 .

20 .

산드로 보티첼리 최고의 걸작이라고 인정받는 작품입니다. 부드러운 곡선이 우아함을 한껏 살려주고 있어요. 고전적인 신들을 자신만의 색깔로 창조했던 작품이기에 더욱 의미있는 그림으로 불리는 것 같습니다. 나만의 시선으로 미술 작품을 보는 것 또한 중요한 감상 포인트가 아닐까요?

September

09

나를 꽃에 비유한다면 어떤 꽃일까요?

20 .

20 .

20 .

에바 곤잘레스는 일상 속 장면을 주로 그리던 화가입니다. 이 작품은 오일 파스텔 특유의 부드러운 느낌이 잘 표현되어 있어요. 때문에 모자를 장식하는 여인의 아름다운 모습이 분위기 있게 느껴지네요. 단아한 머리모양과 파란 리본이 있는 드레스는 지금 봐도 세련된 느낌을 주는 것 같아요.

Eva Gonzalès, *The Milliner*, c.1877
©The Art Institute of Chicago

September

10

Henry Caro-Delvaille, *Ladies taking Tea*, 1902

카페에 가면 주로 무엇을 하나요?

20 .

20 .

20 .

그림을 보니 1900년대에도 카페의 풍경이 지금과 많이 다르지 않은 것 같아요. 머리를 위로 틀어 올려 책 읽기에 몰입한 여자의 모습이 보이나요? 검은색 드레스를 입은 친구는 얼마나 재미있는 책인지 보려고 의자를 가지고 가는 것 같네요.

September

11

아이가 유난히
화내는 순간이 있나요?

20 .

20 .

20 .

가끔 아이가 화나서 씩씩거리는 모습을 보면 귀여워서 저절로 웃음이 나와요. 웃는 엄마 모습에 더 화가 나서 우는 아이를 보면 어찌나 미안한지요. 이 그림을 보니 떠오르는 장면이네요. 그림을 보면서 생각나는 아이의 모습이 있나요?

Follower of Jean Baptiste Greuze, *Little Girl Pouting*, 1775/1800

Thomas Doughty, *Landscape with Dog*, 1832
©The Art Institute of Chicago

September

12

평소 가장 많은
메시지를 주고받는 사람은?

20 .

20 .

20 .

그림 속 개는 무엇을 보고 저렇게 눈을 동그랗게 뜨고 놀란 걸까요? 어떤 메시지를 들은 걸까요? 비현실적인 상상을 해보세요.

September

13

아이가 간절히 원하는 것은 무엇인가요?

20 .

20 .

20 .

함께 기도하는 모습을 그린 아름다운 그림이네요. 첫째 아이는 익숙한 듯 손을 모아 기도하고 있고, 엄마는 둘째 아이의 손을 잡고 기도하는 방법을 알려주고 있어요. 아이들은 어떤 간절함을 기도하는 걸까요?

Pierre-Édouard Frère, *The Evening Prayer*, 1857
©Rijksmuseum, Amsterdam

Amedeo Modigliani, *Madam Pompadour*, 1915

September

14

이해받기를 원하나요?
이해를 하는 편인가요?

20 .

20 .

20 .

'행복 뒤에는 우리가 늘 감당해야 할 어둠이 있다. 행복은 추구하는 것이지 소유하는 것이 아니다.'
- 아메데오 모딜리아니

September

15

마지막 순간이 온다면 무엇을 준비하고 싶은가요?

20 .

20 .

20 .

배우자의 무덤 근처에 있는 젊은 여자를 그린 작품입니다. 검은 드레스, 엄숙한 태도, 결혼반지는 애도의 상태를 나타내는 듯한데요. 바람에 날리는 머리칼, 아래에서 위로 본 듯한 구도, 해 질 녘의 노을 진 조명은 그림 속 여자의 어떤 마음을 대신 표현해 주고 있을까요?

Constant Mayer, *Love's Melancholy*, 1866
©The Art Institute of Chicago

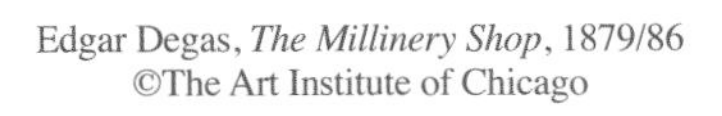

Edgar Degas, *The Millinery Shop*, 1879/86
©The Art Institute of Chicago

September

16

나에게 가장 잘 어울리고 편한 옷은?

20 .

20 .

20 .

에드가 드가는 이 작품 외에도 모자를 고르는 모습, 써보는 모습, 모자가게에서 모자를 준비하는 모습 등 모자와 관련된 많은 작품을 남겼답니다. 유독 '모자'를 소재로 여러 점의 작품을 남긴 이유는 무엇일까요?

September

17

가장 신뢰하는 사람은
누구인가요?

20　　　.

20　　　.

20　　　.

'예술이란 삶에 의해 부서진 사람들을 위로하기 위한 것이다.'
- 빈센트 반 고흐

Vincent van Gogh, *The Poet's Garden*, 1888

William Bradford, *The Coast of Labrador*, 1866
©The Art Institute of Chicago

September

18

시간을 되돌릴 수 있다면 언제로 돌아가고 싶나요?

20 .

20 .

20 .

금빛으로 반짝이는 해변의 풍경이 아름다움 자체로 다가오는 작품이죠? 비현실적으로 아름다운 이 풍경 속에 너무나 현실적으로 구부정한 자세로 앉아있는 사람에게 눈길이 가요. 해를 등지고 어딘가 바라보고 있는 남자는 무슨 생각을 하고 있을까요?

September

19

내 인생을 변화시킨
큰 사건은 무엇이었나요?

20 .

20 .

20 .

화가가 즐겨 찾았던 롱아일랜드의 해변을 묘사한 작품입니다. 회색 분위기의 엷고 흐린 하늘이 인상적으로 다가오는데요. 변화하는 색을 관찰하기 위해 야외에서 그렸다고 해요. 자연의 빛이 느껴지시나요?

William Merritt Chase, *Wind-Swept Sands*, 1894

Henri Rousseau, *The Sleeping Gypsy*, 1897
©The Museum of Modern Art(MoMA)

September

20

내가 가장 의지하고 믿는 존재는?

20 .

20 .

20 .

힘든 하루를 보낸 집시 여인은 모래 위에 곤히 잠들어 있고, 잠든 여인 옆에 사자 한 마리가 보여요. 사막을 비추는 달과 별들이 시적인 분위기를 더하죠? 살금살금 걷는 사자를 보니 서로를 해치지 않겠다는 믿음이 느껴집니다. 앙리 루소는 작품에 이러한 부제를 붙였다고 해요. '아무리 사나운 육식동물이라도 지쳐 잠든 먹이를 덮치는 것은 망설인다.'

September

21

세상의 끝에는 무엇이 있을까요?

20 .

20 .

20 .

Claude Monet, *Cliff Walk at Pourville*, 1882

바다의 끝과 하늘의 끝이 비슷한 색감으로 연결된 이 작품을 보면 답답했던 마음이 시원해지는 느낌이 들어요. 바람에 휘날리는 옷과 풀들이 있어서 시원함이 멈추지 않는 듯합니다.

Jules Adolphe Breton, *The Song of the Lark*, 1884
©The Art Institute of Chicago

September

22

번 아웃이 올 만큼
힘든 시기가 있었나요?

20 .

20 .

20 .

할리우드 스타 빌 머레이는 계속되는 실패로 자살을 생각하다가 이 작품을 보고 다시 삶을 시작했다고 해요. 맨발로 해가 떠오르는 밭 한 가운데 서 있는 여자. 신발도 신지 않은 누추한 옷을 입고도 떠오르는 태양 앞에 당당한 모습이 깊은 깨달음을 줍니다.

September

23

나만의 명언 한 문장을 지어보세요

20 .

20 .

20 .

그림 속 여자는 화가 베르트 모리조입니다. 에두아르 마네의 모델이자 제자로 인상파 화가들의 친구이기도 했죠. 안타깝게도 젊은 나이에 세상을 떠난 그녀를 위해, 그녀의 딸을 인상파 화가들이 보살펴 주었다고 해요. 〈고양이를 안고 있는 줄리 마네, 오귀스트 르누아르, 1887〉의 작품을 보면 베르트 모리조의 딸 줄리 마네를 볼 수 있답니다.

Édouard Manet, *Portrait of Berthe Morisot with a Fan,* 1874

William Merritt Chase, *Alice*, 1892
©The Art Institute of Chicago

September

24

살면서 가장 잘 했다고 생각되는 일은?

20　　　.

20　　　.

20　　　.

리본을 들고 만족스러워하는 소녀의 표정이 느껴지나요? 한 발을 앞으로 빼고 배를 살짝 내민 채 여유 만만한 느낌의 미소가 그림 너머까지 전해지는 작품이네요.

September

25

가장 좋아하는 색과 그 이유는?

20 .

20 .

20 .

붉은색의 금붕어들과 주변을 둘러싸고 있는 초록색들이 대비를 이루면서 선명한 색으로 다가오는 작품입니다.
'캔버스라는 나만의 공간에서 표현되는 모든 색조는 마치 음악의 화음과도 같아서 색의 어울림으로 연주되지 않으면 안 된다.'
- 앙리 마티스

Henri Matisse, *Red Fish(Goldfish)*, 1912

September

26

자유로움을
느끼는 순간은 언제인가요?

Henri Rousseau, *Tropical Forest with Monkeys*, 1910
©National Gallery of Art

20 .

20 .

20 .

'나는 내 노력으로 얻은 나만의 자유로운 스타일을 바꿀 생각이 없다.'
– 앙리 루소

September

27

오늘 하루 중 느낀 소소한
행복 3가지를 적어보세요!

20 .

20 .

20 .

'하루의 노동과 우리를 둘러싼 안개를 비추는 것에서 행복을 찾아라.'
– 앙리 마티스

Henri Matisse, *Dance*, 1909/10
©State Hermitage Museum

September

28

꼭 한번 다시
만나고 싶은 사람은?

20　　.

20　　.

20　　.

Claude Monet, *Apples and Grapes*, 1880

클로드 모네의 정물화입니다. 그림 속 테이블보의 표현을 자세히 보면 클로드 모네 특유의 감각을 느낄 수 있어요. 마치 〈수련〉의 햇빛에 비치는 물 표현같이 느껴지지 않나요?

September

29

살면서 보았던 가장 멋진 풍경은?

20 .

20 .

20 .

드론을 띄워서 바라본 듯한 구도의 작품이네요. 거울처럼 반짝이는 파도와 다양한 색의 암석들이 풍경화 같기도 하고 추상화 같기도 해요. 클로드 모네의 붓 터치 하나하나에 파도소리가 묻어나 들리는 것 같이 느껴지지 않나요?

Claude Monet, *Rocks at Port-Goulphar, Belle-Île*, 1886
©The Art Institute of Chicago

Workshop of Rembrandt van Rijn, *Young Woman at an Open Half-Door*, 1645
©The Art Institute of Chicago

September

30

수고한 나에게
한 줄 편지를 써보세요.

20 .

20 .

20 .

반쯤 열린 문으로 살짝 내민 몸과 알 수 없는 표정의 여자 앞에는 어떤 상황이 펼쳐져 있을까요? 보이지 않는 곳을 보이는 단서로 유추해 보세요. 무의식적인 나의 마음을 볼 수 있을 거예요.

아이에게 쓰는 편지

기대

October 10

'미래를 생각하는 건 즐거운 일이에요.
이루어질 수 없을지라도 생각하는 건 자유거든요.
린드 아주머니는
"아무것도 기대하지 않은 사람은 아무런 실망도
하지 않으니 다행이지."라고 말씀하셨어요.
하지만 저는 실망하는 것보다 아무것도 기대하지 않는 게
더 나쁘다고 생각해요.'

빨강 머리 앤
Anne of Green Gables

October

01

아이에게 자주 하는
칭찬이 있나요?

20 .

20 .

20 .

푸른 눈의 엄마와 아이를 그린 그림이네요. 온화한 미소에 보는 사람의 마음까지 편해지는 것 같아요. 그림 속 살짝 올라간 엄마와 아이의 입꼬리를 따라 함께 미소 지어보세요.

Charles Willson Peale, *Mrs. John Nicholson(Hannah Duncan) and John Nicholson, Jr.*, 1790

October

가장 집중하고
몰두할 수 있는 일은 무엇인가요?

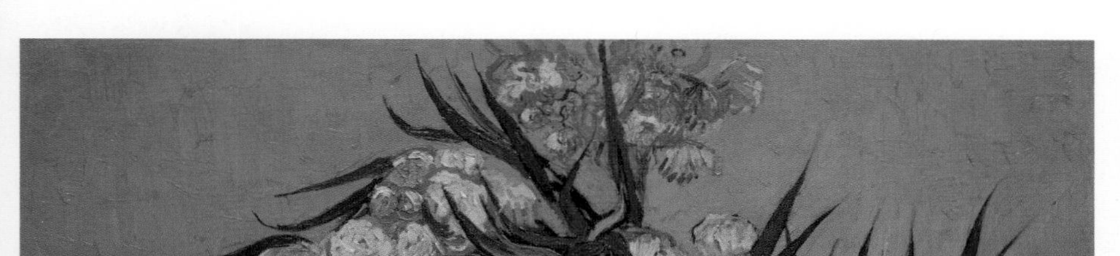

Vincent van Gogh, *Oleanders*, 1888

20 .

20 .

20 .

'확신을 가져라. 아니 확신에 차있는 것처럼 행동하라.
그러면 차츰 진짜 확신이 생기게 된다.'
- 빈센트 반 고흐

October

03

나와 아이의 독서량은 얼마나 되나요?

20 .

20 .

20 .

조선시대에는 책장이나 서재 대신 책을 그린 그림들을 병풍으로 만들어 세워 두었다고 해요. 항상 책 읽는 것을 잊지 않고 책을 가까이하려는 마음에서 나온 풍습이 아닐까요? 책에 대한 애정이 오랜 시간이 지난 지금도 책가도를 통해 전해집니다.

작가 미상, 책가도(冊架圖)

친하게 지내는
친구는 누구인가요?

Jean François Raffaëlli, *Two Washerwomen Crossing a Small Park in Paris*, c. 1890

'친구를 갖는다는 것은 또 하나의 인생을 갖는 것이다.'
- 발타사르 그라시안

October

05

원하는 가족사진의 콘셉트가 있나요?

20 .

20 .

20 .

살짝 기울어져 보이는 의자에 앉아 있는 사람과 아이 둘. 맨발로 의자 뒤에 서 있는 큰아이의 뾰로통한 표정을 보니 동생을 질투하던 제 어린 시절이 떠오르네요. 그림을 감상하다 보면 생각지 못한 기억이 떠오를 때가 있죠. 숨겨진 나만의 이야기를 찾아보세요.

Paul Gauguin, *Polynesian Woman with Children*, 1901

Edvard Munch, *Det syke barn*, 1885/86
©The National Museum, Oslo

October

06

사랑하는 사람이
아팠던 적이 있나요?

20 .

20 .

20 .

'두려움과 병마가 없었다면 내 인생은 키 없는 배와 같았을 것이다.'
- 에드바르 뭉크

October

07

현재 경제적 상황에
만족하는 편인가요?

20 .

20 .

20 .

'부드러움과 친절은 나약함과 절망의 징후가 아니라 힘과 결단력의 표현이다.'
- 칼릴 지브란

Jacques-Louis David, *Madame de Pastoret and Her Son*, 1791/92

George Inness, *Moonrise*, 1891

October

08

나는 어떤 부모인가요?

20 .

20 .

20 .

달이 떠오르는 시간, 아이를 재우고 나면 반성의 시간이 찾아오는 것 같아요. 아이에게 어떤 엄마였는지 후회하는 날들이 더 많은 것 같습니다. 이 작품을 보니 그런 감정들이 생각나요. 아이에 대한 미안함은 이미 좋은 엄마이기 때문에 느낀다고 하죠. 혹시, 미안한 마음이 크게 밀려오는 날에는 '난 이미 좋은 엄마야.'라는 생각을 떠올려 보세요.

October

09

아이 친구의 엄마와 자주 나누는 대화의 주제는?

20 .

20 .

20 .

어두운 배경이 밝은색의 올빼미를 더 부각시켜 주는, 아주 사실적으로 묘사된 작품이네요. 앞에 있는 큰 올빼미가 암컷, 뒤에 있는 작은 올빼미가 수컷이라고 해요. 두 올빼미는 어떤 대화를 나누고 있을까요?

John James Audubon, *Bubo scandiacus*

단원 김홍도(檀園 金弘道), 단원풍속도첩(檀園風俗畵帖) 중에서, 무동(舞童), 1780년경

October

10

신날 때 듣는 음악이 있나요?

20 .

20 .

20 .

향피리 2·젓대 1·해금 1·북 1·장구로 구성되는 악기 편성을 〈삼현육각三絃六角〉이라고 해요. 큰 잔치에서 볼 수 있는 장면이죠. 음악을 연주하는 사람들의 섬세한 묘사가 '쿵더쿵 쿵더쿵' 하는 소리를 들려주는 듯하네요. 그림 속 6명의 사람들이 연주하는 악기의 소리를 상상해 보며 그림을 보면 더 재미있게 감상할 수 있답니다.

October

11

유언장을 쓴다면,
어떤 글을 남기고 싶은가요?

20 .

20 .

20 .

해골은 무한하지 않은 시간을 소중히 하고 의미 있는 삶을 살자는 의미가 있다고 해요. 누구나 죽음 뒤에 해골로 변하겠지만 그 전까지 우리는 어떤 삶을 살아야 할지 생각해 보게 되는 그림이네요.

Paul Cézanne, *The Three Skulls*, 1902/06

Mary Cassatt, *The Fitting*, 1890/91
©The Art Institute of Chicago

October

12

스스로 젊다고 생각하나요?

20 .

20 .

20 .

'어떤 사람은 젊고도 늙었고, 어떤 사람은 늙어도 젊다.'
- 탈무드

October

13

술을 즐겨 마시나요?

20 .

20 .

20 .

반짝반짝 깨끗하고 정갈하게 차려진 테이블. 반도 차지 않은 컵과 뜯어진 병을 보니 누군가 다녀간 걸까요? 나를 위해 차려준 멋진 테이블이라 생각하고 그림 속 정물들을 즐겨보세요.

John F. Francis, *Wine, Cheese, and Fruit*, 1857

Anders Leonard Zorn, *Mrs. Potter Palmer*, 1893

October

14

직관적인 느낌을 믿나요?

20 .

20 .

20 .

화려한 머리 장식과 액세서리, 드레스를 입은 여자를 그린 작품입니다. 하얀 드레스를 보니 천사의 날개가 연상되네요. 이 그림을 보면 어떤 이미지가 떠오르나요?

October

15

엄마가 대단하다고 느껴본 적이 있나요?
그 이유는요?

20 .

20 .

20 .

지진으로 무너진 건물 속에서 엄마와 갓난아이가 며칠 만에 발견된 사건이 있었어요. 아이의 입에는 엄마의 손가락이 물려 있었죠. 손가락을 깨물어 젖 대신 피를 먹였는데 아이는 목숨을 건졌고 엄마는 숨졌다고 해요. 나의 엄마도 또 지금 엄마인 나도…. 엄마라는 존재에 대해 생각해 봅니다.

Paul Gauguin, *Portrait of the Artist's Mother(Eve)*, 1889/90

Constantin Guys, *Two Women*, c. 1840

October

16

신나게 놀고 싶을 때
찾는 장소는 어디인가요?

20 .

20 .

20 .

그림 속 왼쪽으로 살짝 보이는 틈 사이로 다른 건물과 거리감 있게 그려진 구도 때문에 두 여인들이 마치 숨어있는 듯 보이네요. 벽 뒤에 있는 두 여자는 화려한 드레스를 입고 무엇을 하고 있는 걸까요?

October

17

내일은 어떤 일이 일어날 것 같나요? 기대하는 일이 있나요?

20 .

20 .

20 .

우리 민족의 모습을 특유의 방식으로 표현했던 화가 김홍도의 작품입니다. 스님과 도사가 부적 그림을 펼쳐두고 시주를 받는 장면이네요. 어떤 내용의 부적이 쓰여 있었을까요?

단원 김홍도(檀園 金弘道), 단원풍속도첩(檀園風俗畵帖) 중에서 점괘(占卦)

Eva Gonzalès, *Girl with Cherries*, c.1870

October

18

요즘 가장 큰 지출은
어디에 하나요?

20 .

20 .

20 .

여자 앞에 놓인 빨갛고 예쁜 체리가 검은색 줄무늬 옷과 어우러지며 작품에 생명력을 주는 것 같아요. 걷어 올려진 옷 소매와 모자는 여자의 직업이 하녀였다는 것을 암시한다고 해요.

October

19

오늘 나의 기분을 날씨로 표현한다면?

20 .

20 .

20 .

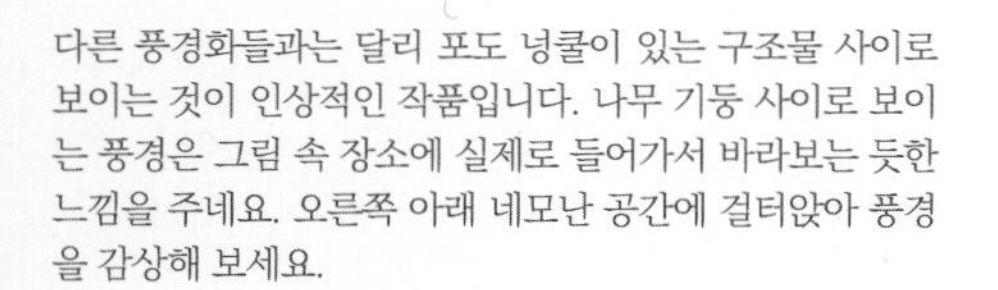

다른 풍경화들과는 달리 포도 넝쿨이 있는 구조물 사이로 보이는 것이 인상적인 작품입니다. 나무 기둥 사이로 보이는 풍경은 그림 속 장소에 실제로 들어가서 바라보는 듯한 느낌을 주네요. 오른쪽 아래 네모난 공간에 걸터앉아 풍경을 감상해 보세요.

Ernest Christian Frederick Petzholdt, *Fountain and Pergola in Italy*, 1830/35
©The Art Institute of Chicago

Henri de Toulouse-Lautrec, *Seated Female Clown(Mademoiselle Cha-U-Kao), plate one from Elles*, 1896

October

20

내가 가지고 있는 편견 중에
고치고 싶은 것이 있나요?

20 .

20 .

20 .

화려한 무대 위의 코미디언들, 가수, 댄서는 툴루즈 로트렉의 좋은 모델이었답니다. 화가의 과장된 표현은 어쩌면 진실을 더 큰 소리로 전달해 주고 있는 것이 아닐까요?

October

21

내 삶에 영감을 주는 요소들은?

20 .

20 .

20 .

투명한 색의 층이 만들어내는 느낌을 보고 있으면 그림이 흔들리는 듯 착각이 들기도 해요. 군데군데 보이는 연필 선까지 더해져 투명한 느낌이 더 크게 전달되는 그림이네요.

Paul Cézanne, *Man Wearing a Straw Hat*, 1905/06
©The Art Institute of Chicago

October

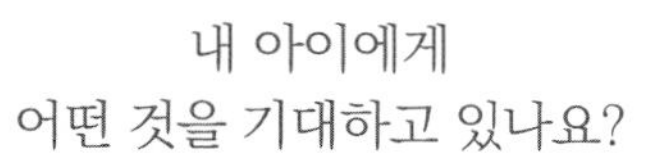

22

Winslow Homer, *Flamborough Head, England*, 1882
©The Art Institute of Chicago

내 아이에게
어떤 것을 기대하고 있나요?

20 .

20 .

20 .

바다가 보이는 언덕 꼭대기에 있는 여자는 무엇을 보고 있을까요? 시선을 보니 가까이 있는 것보다는 멀리 있는 무언가를 보고 있는 것 같아요. 제 몸만큼 큰 바구니를 매고도 무겁지 않다는 듯한 포즈에서 단단한 힘이 느껴지네요.

October

23

내 이야기를 책으로 만든다면,
어떤 제목을 붙이고 싶나요?

20 .

20 .

20 .

공원에 있는 수많은 사람을 하나하나 보면 마치 만화책을 읽는 것 같아요. 유모차를 탄 아이, 진지한 이야기를 하는 듯한 남자들, 어디론가 걸어가는 남녀의 뒷모습, 뛰어다니는 아이까지…. 각자의 이야기를 담은 공원에 들어가서 나의 자리도 잡아보세요.

Artist unknown, *Boston Common*, 1850/63

Jacob Ochtervelt, *The Music Lesson*, 1671

October

24

나를 가장 즐겁게 해주는
한 사람을 꼽자면?

20 .

20 .

20 .

'갈대의 나부낌에도 음악이 있다. 시냇물의 흐름에도 음악이 있다. 사람들이 귀를 가지고 있다면 모든 사물에서 음악을 들을 수 있다.'
- 조지 고든 바이런

October

25

다른 엄마들에게 공유하고 싶은 육아 꿀팁이 있다면?

20 .

20 .

20 .

세탁소에서 일하는 여자를 그린 작품입니다. 오른쪽 아래 수북하게 쌓인 빨래를 보니 얼마나 많은 일을 해야 하는지 알 수 있어요. 그림 속 빨래처럼 쌓인 일들에 지치는 날은 잠시 미뤄두고 그림과 함께 해보세요. 그림은 언제나 기다려준답니다.

Pierre-Auguste Renoir, *The Laundress*, 1877/79
©The Art Institute of Chicago

Berthe Morisot, *Woman in a Garden*, 1882/83

October

26

내가 만약 남자로 태어났다면,
무슨 일을 하고 있을까요?

20 .

20 .

20 .

관찰을 통해 진실을 찾으려 했던 화가 베르트 모리조의 작품입니다. 남성이 중심이었던 미술계에서 치열하게 작업했던 그녀. '나는 그들만큼 가치가 있습니다.'라는 말과 함께 수많은 작품을 남겼답니다.

October

27

다른 사람을 배려했던 경험이 있나요?

20 .

20 .

20 .

물을 마시고 있는 소녀 옆에 작은 빗자루가 있는 걸 보니 청소를 하는 아이인 것 같아요. 신발도 신지 않고 있는 어린아이를 보니 측은한 감정이 드네요. 울타리 넘어 멀리엔 편하게 쉬는 사람들이 그려져 있어 더 안쓰러운 마음이 생겨요.

Seymour Joseph Guy, *The Crossing Sweeper,* ca. 1860s

작가 미상, 조선 시대의 민화 중 하나인 책가도

October

28

아끼는 물건은 무엇인가요?

20 .

20 .

20 .

외국에도 종종 책을 소재로 한 그림이 있긴 하지만, 한국처럼 오랫동안 다양한 계층에서 책을 그린 민족이 있을까요? 조선시대 민화 중 하나인 책가도입니다. 빛으로 명암을 넣은 서양의 그림과는 다른 형식으로 표현이 되어있어요. 다이어리 속 다른 정물화들과 비교하며 재미있게 감상해 보세요.

October

29

진짜가 아닌
연극을 할 때가 있나요?

20 .

20 .

20 .

'연극이 끝나고 난 뒤, 혼자서 무대에 남아, 아무도 없는 객석을, 본 적이 있나요.'
- 연극이 끝난 후 가사 중
그림을 보면 음악이 귓가에 들릴 때가 있어요. 어떤 느낌이라도 좋아요. 순간 떠오르는 느낌을 따라가 보세요.

Edgar Degas, *Singers on the Stage*, 1877/79

단원 김홍도(檀園 金弘道), 단원풍속도첩(檀園風俗畵帖) 중에서 서당(書堂)

October

30

가장 중요하다고 생각하는 교육은 무엇인가요?

20 .

20 .

20 .

서당에서 아이들과 훈장님이 수업하는 모습을 그린 그림입니다. 화가 김홍도는 얇은 먹선을 사용하여 인물들의 다양한 표정과 섬세한 감정을 표현했어요. 각 인물의 자세와 얼굴을 보며 심리를 예측해 보세요.

October

31

아이의 성격 중 장점 3가지는?

20　　　.

20　　　.

20　　　.

화가가 누군지 알려지지 않은 그림이에요. 누가 왜 어떤 생각으로 무엇을 전달하기 위해 그린 그림일지 더 궁금해져요. 화가를 알고 작품을 감상하는 것보다 편견 없이 볼 수 있어서 상상의 폭이 커지는 것 같아요. 가끔은 아는 것보다 모르는 것이 재미있을 때가 있답니다.

Artist unknown, *Boy of Hallett Family with Dog*, 1766/76

November 11

'삶이란 우리의 인생 앞에
어떤 일이 생기느냐에 따라
결정되는 것이 아니라
우리가 어떤 태도를 취하느냐에 따라 결정된다.'

존 호머 밀스
John Homer Mills

November

01

기억에 남는 예술 작품은 무엇인가요?

20 .

20 .

20 .

'예술은 당신이 무엇을 보느냐가 아니라 당신이 다른 사람들로 하여금 무엇을 보게 만드느냐의 문제이다.'
- 에드가 드가

Edgar Degas, *Ballet at the Paris Opéra*, 1877
©The Art Institute of Chicago

John Everett Millais, *Glen Birnam*, 1890

November

02

1년 중 남은 두 달을 어떻게 보내고 싶나요?

20 .

20 .

20 .

나뭇잎이 모두 떨어지지 않은 나무들의 모습과 눈이 살짝 내린 초겨울의 정취가 잘 표현된 작품이네요. 텅 빈 바구니를 들고 혼자 숲길을 걷는 사람을 따라 길 끝에 도착하면 무엇이 나올까요?

November

03

감사의 편지를 쓰고 싶은 사람이 있나요?

20 .

20 .

20 .

얼굴에 홍조를 띤 젊은 여자가 펜을 들고 무언가 쓰고 있어요. 입가에 잔잔한 미소를 보니 좋은 소식을 전하려나 봅니다. 그림을 보며 입꼬리를 한번 슬쩍 올려보세요.

Gilbert Stuart, *Portrait of a Young Woman*, 1802/04

November

04

내 꿈을 한 문장으로
표현한다면?

20 .

20 .

20 .

Paul Cézanne, *The Plate of Apples*, 1877

'나는 사과 한 개로 파리를 놀라게 하고 싶다.'
- 폴 세잔(친구인 에밀 졸라에게 쓴 편지 중에서)

November

05

늘 고마운 사람은
누구인가요?

20 .

20 .

20 .

호수는 바다나 강과는 다른 매력이 느껴지지 않나요? 이 그림은 호수만이 가지고 있는 느낌이 잘 표현된 것 같아요. 호수의 물결처럼 잔잔한 터치로 그려진 작품을 보며 잠시 여유를 가져보세요.

Walter Launt Palmer, *Lake at Appledale*, 1884

Vincent van Gogh, *Self-Portrait with a Straw Hat(obverse: The Potato Peeler)*, 1887

November

06

인생에서 찾은
보석 한 가지를 꼽자면 무엇인가요?

20 .

20 .

20 .

모델이 없어서 자기 얼굴을 거울에 비춰보고 20여 점이 넘는 자화상을 그렸던 화가 빈센트 반 고흐. 자기 얼굴을 자세히 보고 종이에 그려내는 과정을 반복하면서 화가는 어떤 생각을 했을까요?

November

07

아이가
자랑스럽게 해낸 일은?

20 .

20 .

20 .

나무 신발을 조각하기 위해 온 체중을 모두 싣고 톱을 움직이는 소년과 아이를 자랑스럽게 바라보는 노인의 모습이 담긴 작품입니다. 대견함 반 걱정 반의 마음으로 아이를 지켜보고 있는 눈빛이 왜 낯설게 느껴지지 않을까요?

Henry Ossawa Tanner, *The Young Sabot Maker*, 1895
©The Nelson-Atkins Museum of Art

November

08

아이가 생긴 후
가장 큰 변화는 무엇인가요?

20 .

20 .

20 .

Joaquín Sorolla y Bastida, *Mother,* ca. 1895/1900

아이를 낳기 전과 아이를 낳은 후 이 작품을 보았을 때 감동의 차이는 엄청났어요. 신생아 시절 저와 아이의 모습이 고스란히 담겨있는 것 같아서 더욱 그림 속 장면이 애잔하게 느껴집니다. 하얀색 속에 파묻혀 있는 듯한 아이와 엄마. 어떤 느낌이 드나요?

November

09

주위에 의견 대립이 잦은 사람이 있나요?

20 .

20 .

20 .

그림 속 카드놀이를 하는 두 남자를 보세요. 왼쪽 인물의 어두운 의상과 오른쪽 인물의 밝은 의상, 정 가운데 놓인 술병. 마치 카드놀이 하는 사람들의 대립하는 심리를 각 요소들이 대신 말해주고 있는 것 같지 않나요?

Paul Cézanne, *The Card Players*, 1892/93

Elisabeth Louise Vigée Le Brun, *Julie Le Brun Looking in a Mirror,* 1787

November

10

아이가 스스로를 어떻게 생각하며 성장했으면 좋겠나요?

20 .

20 .

20 .

아이 얼굴의 옆모습과 앞모습이 동시에 보이는 작품이에요. 거울 속 아이의 표정을 보니 깊은 생각에 빠진 것 같네요. 아이는 자기 얼굴을 보며 어떤 생각을 하고 있을까요?

November

11

투명 인간이 된다면?

20 .

20 .

20 .

오른쪽과 앞쪽의 막힌 건물, 세로로 긴 구도가 주어진 공간을 멀리서 몰래 보는 듯한 느낌을 주는 것 같아요. 그림의 구도가 조금만 바뀌어도 보는 시선이 달라지기 때문에 큰 차이로 느낄 수 있답니다.

Stanislas Lépine, *The Courtyard*, c. 1880
©The Art Institute of Chicago

Frederick Childe Hassam, *New York Street*, 1902

November

12

기회가 된다면
한 번쯤 살아보고 싶은 곳은?

20 .

20 .

20 .

1902년 뉴욕 거리 풍경을 그린 작품입니다. 지금의 뉴욕과는 많이 다른 도로와 배경이네요. 건물 대신 나무, 차 대신 마차가 다니는 풍경이 그려져 있어요. 눈 오는 1900년대의 그림을 보고 있으니 시간 여행을 다녀온 것 같이 느껴집니다.

November

13

올해 성과가 있었던 일은 무엇인가요?

20 .

20 .

20 .

Paolo Antonio Barbieri, *Kitchen Still Life*, c. 1640
©The Art Institute of Chicago

차분한 컬러들과 안정적인 구도로 그려진 평범한 정물들. 쉽게 보는 정물들을 그림으로 보니 묘한 분위기가 느껴져요. 지금 우리 집 테이블 위에는 무엇이 올려져 있나요?

George Henry Durrie, *Red School House(Country Scene)*, 1858

November

14

오늘 하루 가장 감사한 일은
무엇인가요?

20 .

20 .

20 .

'세찬 겨울 눈보라도 감사하지 않은 사람의 마음보다 모질지는 않다.'
- 윌리엄 셰익스피어

November

15

꽃을 선물하고 싶은 사람은
누구인가요?

20 .

20 .

20 .

두 어깨 가득 꽃을 이고 누구의 집 앞에서 기다리고 있는 걸까요? 화려한 꽃들이 주는 분위기는 일상을 더욱 특별하게 만들어 주는 것 같아요. 가끔 나를 위해 꽃을 사보는 여유를 가져보면 어떨까요?

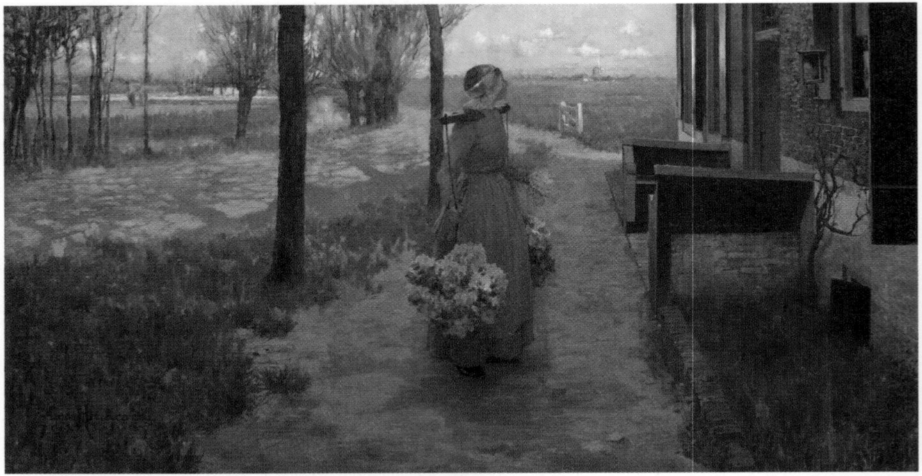

George Hitchcock, *Flower Girl in Holland*, 1887
©The Art Institute of Chicago

Julius Gari Melchers, *Mother and Child*, c. 1906
©The Art Institute of Chicago

November
16

아이를 키우며 이전보다
강해졌다고 느낀 순간이 있었나요?

20 .

20 .

20 .

육아를 하면서 엄마도 아이만큼이나 성장하고 강해지는 것 같아요. 사랑하는 아이를 지켜주는 엄마가 되어야 하니까요. 어떤 이야기를 가졌는지, 그림 속 엄마의 눈빛은 비장함까지 느껴지네요.

November

17

그림 속 과일 중에서
좋아하는 과일이 있나요?

20 .

20 .

20 .

노란색과 보라색, 파란색과 주황색, 빨간색과 초록색 보색을 사용하여 그린 빈센트 반 고흐의 정물화입니다. 화면을 휘감는 듯한 특유의 터치와 보색의 에너지가 강하게 느껴져요. 집중해서 보고 있으면 일렁이는 듯 보이기도 하네요.

Vincent van Gogh, *Grapes, Lemons, Pears, and Apples*, 1887

Walter Richard Sickert, *The Acting Manager*, 1884

November

18

몰입의 힘을 경험한 적이 있나요?

20 .

20 .

20 .

책상 위 조명이 시선을 끌어요. 음영의 표현만으로 집중을 이끌어 낸 작품입니다. 아이가 잠든 밤, 나만의 것에 몰입하는 모습을 보는 것 같기도 합니다. 그림을 보고 어떤 장면이 떠오르나요?

November

19

가장 오래
여행했던 기간은 얼마였나요?

20 .

20 .

20 .

Adolph Menzel, *In a Railway Carriage(After a Night's Journey)*, 1851

기차 여행 중인 남녀를 묘사한 그림입니다. 뒤틀린 자세로 잠이 든 남자, 이른 아침 창문 밖을 바라보는 여자, 그리고 어지러운 마차 안. 밤사이 어떤 일이 있었던 걸까요?

Georgios Jakobides, *The First Steps*, 1893

November

20

아이와 함께 했던 행복한 순간은?

20 .

20 .

20 .

아기의 걸음마를 도와주는 할머니와 동생을 지켜보는 누나의 아름다운 순간이 담긴 작품이네요. 그림을 보니 아이가 건강하게 걷기만 해도 감사했던 때가 생각나요. 누나의 얼굴이 정면으로 보이지는 않지만 흐뭇한 미소가 마음으로 느껴집니다.

November

21

나를 힘들게 했던
환경이 있었나요?

20 .

20 .

20 .

스페인 화가 프란시스코 고야가 시리즈로 작업했던 〈사계절〉 중의 하나인 〈겨울〉입니다. 고야의 최고의 작품 중 하나로 꼽히는 그림이죠. 눈뜨기도 힘들 정도의 매서운 바람에 맞서 5명의 남자들이 걸어가고 있어요. 나무는 세찬 바람에 꺾일 듯한 기세로 버티고 있어요. 아름다운 겨울이 아닌 처절한 겨울도 있다는 것을 그림을 통해 알리고 싶었을까요?

Francisco José de Goya y Lucientes, *Winter Scene*, c. 1786

Vincent van Gogh, *The Sheaf-Binder(after Millet)*, 1889
©Vincent van Gogh Museum

November

22

매일 반복하는
나만의 루틴이 있나요?

20　　.

20　　.

20　　.

'위대한 성과는 갑작스러운 충동에 의해 이루어지는 것이 아니라, 느리지만 연속된 여러 번의 작은 일들로서 비로소 이루어지는 것이다'.
- 빈센트 반 고흐

November

23

시간을 되돌릴 수 있다면,
어떤 순간으로 돌아가고 싶나요?

20 .

20 .

20 .

무엇이든 입으로 가져가서 한시도 눈을 뗄 수 없었던 아기 시절이 생각나네요. 그림 속 아이도 악기를 입으로 가져가서 쪽쪽 빨고 있어요. 이때는 참 힘들더니 지나고 보니 어릴 때가 그리운 건 왜일까요.

Albert Samuel Anker, *The LIttle Musician*, 1873

Emile Munier, *Evening Pray*, c. 1895

November

24

아이와 함께 하는 기도가 있나요?

20 .

20 .

20 .

아이는 작은 두 손을 모아 어떤 기도를 하고 있을까요? 무릎까지 꿇고 한쪽 옷이 흘러내린 줄도 모르고 간절히 기도하는 모습이 그저 사랑스럽습니다. 무엇이든 간절히 바라면 이루어지겠죠?

November

25

그림의 풍경 속에 서 있다면
어떤 기분일까요?

20 .

20 .

20 .

손으로 문지른 듯한 느낌의 표현이 매우 인상적인 작품이네요. 그림 속에서 이야기를 굳이 찾으려 하지 말고, 분위기 자체를 느껴보세요. 생각을 비우고 있는 그대로를 받아들이는 연습을 해보길 바랍니다.

Edgar Degas, *Landscape with Smokestacks*, c. 1890

Pablo Picasso, *Two women running on the beach(The race)*, 1922

November

26

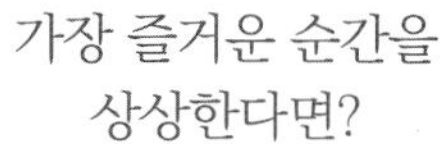

가장 즐거운 순간을
상상한다면?

20 .

20 .

20 .

'네가 상상하는 모든 것은 현실이다.'
- 파블로 피카소

November

작품의 이미지 중에
가장 재미있는 부분은 어디인가요?

20 .

20 .

20 .

동화책의 한 장면을 보는 것 같은 그림입니다. 악기를 부는 소년과 할머니 그리고 어두운 배경 속 지켜보는 할아버지까지. 꼭꼭 숨은 이야기의 단서를 찾으려 그림을 자꾸 들여다보게 되네요.

David Teniers the Younger, *The Flageolet Player*, 1635/40

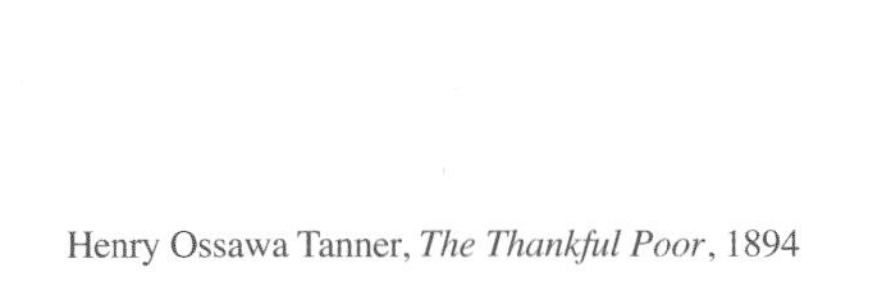

Henry Ossawa Tanner, *The Thankful Poor*, 1894

November

28

내 삶에서 가장 감사한 3가지는?

20 .

20 .

20 .

아프리카계 미국인 화가 헨리 오사와 태너의 작품입니다. 식사 전에 기도하는 노인과 어린 소년이 표현되어 있어요. 단출한 음식을 두고 감사의 기도를 하고 있네요. 노인의 뒤로 들어오는 빛은 이 순간을 따뜻하게 만들어 주는 듯 느껴져요.

November

29

아이와 가장
교감이 깊은 시간은 언제인가요?

20 .

20 .

20 .

'감사를 표현하는 가장 좋은 방법은 모든 것을 기쁨으로 받아들이는 것이다.'
- 마더 테레사

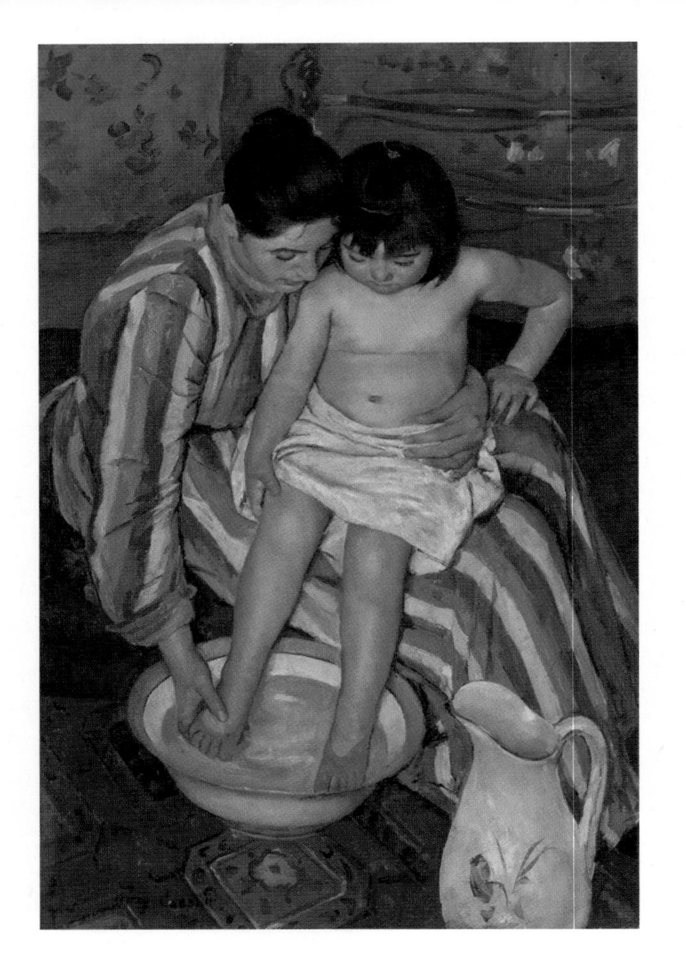

Mary Cassatt, *The Child's Bath*, 1893
©The Art Institute of Chicago

Giovanni Battista Piazzetta, *The Beggar Boy(The Young Pilgrim)*, 1738/39

November

30

스스로 당당하게
이루어낸 것은 무엇인가요?

20 .

20 .

20 .

가난한 상황에 처한 아이의 초상화. 초라한 행색과는 달리 당당해 보이는 아이의 자세에서 삶을 헤쳐나갈 수 있는 힘이 느껴집니다.

나의 건강을 위한 7가지 약속

1.

2.

3.

4.

5.

6.

7.

평온

December 12

'마음이 평화로우면
어느 마을에 가서도
축제처럼 즐거운 일들을 발견할 수 있다.'

인도 속담

December

01

눈 내리는 날
아이와 해보고 싶은 것이 있나요?

20　　　　.

20　　　　.

20　　　　.

작품 초기에 설경을 즐겨 그린 클로드 모네는 1895년, 노르웨이를 여행하는 동안 20여 점의 작품을 남겼습니다. 이 그림을 통해 모네의 시선을 따라가며 아름다운 눈 풍경을 감상해 보세요.

Claude Monet, *Sandvika, Norway*, 1895
©The Art Institute of Chicago

December

하루에 아이와 책 읽는 시간을 얼마나 가지나요?

George Dunlop Leslie, *Alice in Wonderland*, c. 1879
©Royal Pavilion

20 .

20 .

20 .

그림 속에서 아이에게 읽어주는 책이 〈이상한 나라의 앨리스〉라고 합니다. 아이의 이름도 앨리스라고 하는데 참 재미있는 우연이죠? 이상한 나라의 앨리스처럼 아이와 함께 가끔 재미있는 상상 놀이를 해보는 건 어떨까요?

December

03

그림 속 붉은색을 어떤 색으로 바꿔보고 싶나요?

20 .

20 .

20 .

Henri Matisse, *Red Room(Harmony in Red)*, 1908
©State Hermitage Museum

방 안 가득 붉은색과 창 넘어 초록색의 경치가 대조를 이루는 강렬한 작품이에요. 강한 보색 대비는 집중력을 높여주고 에너지 몰입을 도와주는 효과가 있답니다. 집중해야 할 일을 하기 전에 잠시 그림을 감상해보는 건 어떨까요?

James McNeill Whistler, *Nocturne: Blue and Gold—Southampton Water*, 1872

December

04

아무도 없는 고요한 집에서 무엇을 하고 싶은가요?

20 .

20 .

20 .

이 작품을 보면 아무 소리도 들리지 않는 고요함이 느껴지지 않나요? 때로는 조용히 그림을 바라보는 것만으로도 더할 나위 없는 편안함을 경험할 수 있답니다.

December

05

인생이 즐겁게 느껴지는 순간은 언제인가요?

20 .

20 .

20 .

검붉은 배경과 원근감을 무시한 정물들, 가운데 중심을 잡고 우두커니 서 있는 물병이 인상적인 작품입니다. 현실에서 볼 만한 정물이지만 화가의 시선을 거쳐 비현실적으로 표현되어 있어요. 비현실적인 이미지를 보면서 잠시 현실에서 벗어나 보는 것도 그림 감상의 또 다른 즐거움입니다.

Marsden Hartley, *Still Life No. 3*, 1923
©The Art Institute of Chicago

Caspar David Friedrich, *Wanderer über dem Nebelmeer*, 1817
©Hamburger Kunsthalle.bpk

December
06

올해가 가기 전에
꼭 해보고 싶은 일은?

20　　　.

20　　　.

20　　　.

안개가 자욱한 바다를 바라보는 한 남자의 뒷모습이 보입니다. 유년 시절에 엄마, 누나, 형의 죽음으로 우울증을 깊이 앓았던 화가는 그 우울함을 자신의 뒷모습으로 표현하며 이겨내고자 했답니다.

December

07

특별히 아끼는 액세서리가 있다면 무엇인가요?

20 .

20 .

20 .

따스한 햇살 속 소파에 앉아 반지를 보며 미소 짓고 있는 여인을 그린 그림이네요. 차분하고 부드러운 색감이 마음까지 따뜻하게 해주는 것 같아요. 반짝이는 반지에는 어떤 이야기가 숨어있을까요?

John White Alexander, *The Ring*, 1911

December

08

사과가
어떤 말을 건네는 것 같나요?

20 .

20 .

20 .

Paul Cézanne, *The Basket of Apples*, about 1893

'역사상 유명한 사과가 셋 있는데, 첫째가 이브의 사과고, 둘째가 뉴턴의 사과, 셋째가 세잔의 사과이다. 평범한 화가의 사과는 먹고 싶지만, 세잔의 사과는 마음에 말을 건넨다.'
- 모리스 드니(프랑스 화가)

December

09

가장 가치있게 생각하는 것은?

20 .

20 .

20 .

집요할 정도로 자화상을 즐겨 그렸던 화가 렘브란트 반 라인의 그림이에요. 판화 기법 중 하나인 에칭 기법을 이용해 금속 위에 바늘로 긁어 세밀하게 표현했어요. 한 번쯤 내 얼굴을 오래, 자세히 들여다보며 그려보는 시간을 가져보는 건 어떨까요.

Rembrandt van Rijn, *Self-Portrait Etching at a Window*, 1648

Grant Wood, *American Gothic*, 1930

December

10

말을 많이 하는 편인가요?
들어주는 편인가요?

20 .

20 .

20 .

화가가 자신의 여동생과 치과의사를 모델로 그린 작품이에요. 근엄한 남자의 표정, 뾰족한 갈고리와 고딕 양식의 창문들이 아주 묘한 느낌을 주는 것 같네요. 그림 속 분위기가 어떻게 느껴지나요?

December

11

어릴 적 할머니와의 추억 중에
특별히 생각나는 것은 무엇인가요?

20 .

20 .

20 .

호레이스 피핀은 1차 세계대전 참전으로 팔을 다쳐 재활의 목적으로 그림을 그렸다고 해요. 그림을 그리는 행위가 신체적인 재활의 기능도 도와준답니다. 그림의 힘은 무궁무진하죠?

Horace Pippin, *Cabin in the Cotton*, c. 1931/37

December

12

인생에서
무엇을 쫓고 있나요?

Felix Vallotton, *Le Ballon*, 1899
©Musée d'Orsay

20 .

20 .

20 .

허우 샤오시엔 감독의 영화 〈빨간 풍선, 2007〉 후반부에 등장하는, 붉은 풍선을 쫓는 밀짚모자 소년의 그림이 바로 이 작품입니다. 그림 속 아이가 빨간 풍선을 따라가는 모습이 뒷배경의 붓 터치와 어우러져 마치 움직이는 듯한 느낌이 들어요. 움직이는 듯한 그림을 감상하며 집중력을 높여보세요.

December

13

드라이브하는 것을
좋아하나요?

20 .

20 .

20 .

클로드 모네는 1899년부터 100여 점의 런던 템스강을 그린 작품을 남겼어요. 뿌연 연기 속에 보이는 빛의 번짐이 느껴지나요? 멀리 보이는 다리와 건물들이 아련한 분위기를 자아내고 감성을 자극하네요.

Claude Monet, *Charing Cross Bridge London*, 1901

Edourard Manet, *Chez le Pére Lathuille*, 1879
©Musée des Beaux-Arts de Tournai

December

14

지금까지 들었던
가장 설레는 말은 무엇인가요?

20　　　.

20　　　.

20　　　.

두 사람은 어떤 이야기를 나누고 있을까요? 테이블에 힌트가 숨겨져 있답니다. 여자의 접시만 있고 남자는 의자도 없이 어정쩡하게 앉아 한쪽 팔로 여자의 의자를 둘러싸고 있는 모습을 볼 수 있죠. 함께 온 연인이나 오래된 사이는 아닌 것 같네요. 그림 속 요소들을 자세히 보면서 어떤 이야기를 나누고 있는지 상상해 보세요.

December

15

나의 얼굴 사진을 자주 찍는 편인가요?

20 .

20 .

20 .

푸른 색의 우아한 드레스를 입고 있는 여인의 초상화입니다. 커튼 뒤로 들어오는 빛이 여자의 분위기를 만들어주네요. 폭신한 의자에 앉으면 누군가 사진을 찍어 줄 것 같은 느낌이 들어요. 두 손을 모으고 정면을 뚫어져라 보는 여자는 무슨 생각을 하고 있을까요?

John Singer Sargent, *Madame Paul Escudier(Louise Lefevre)*, 1882

Joachim Beuckelaer, *Portrait of a Young Woman*, 1562

December

16

내가 가장 강해지는
순간은 언제인가요?

20 .

20 .

20 .

그림 속 여자에 대해 알려지지 않았지만, 허리에 차고 있는 은 사슬과 손에 들고 있는 가죽 장갑을 통해 사회적 지위가 높은 사람이었음을 유추할 수 있어요. 어두운 배경과 옷의 표현이 왠지 모를 무게감으로 다가오는 작품입니다.

December

17

사람이 꽃보다
아름답다고 생각하나요?

20 .

20 .

20 .

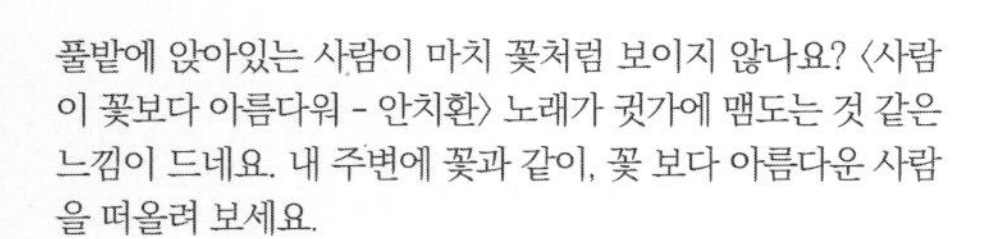

풀밭에 앉아있는 사람이 마치 꽃처럼 보이지 않나요? 〈사람이 꽃보다 아름다워 - 안치환〉 노래가 귓가에 맴도는 것 같은 느낌이 드네요. 내 주변에 꽃과 같이, 꽃 보다 아름다운 사람을 떠올려 보세요.

William Merritt Chase, *Landscape*: *Shinnecock, Long Island*, ca.1896
©Princeton University Art Museum

Willem van Mieris, *A Mother Feeding her Child(The Happy Mother)*, 1707

December

18

육아에 가장 도움을 주는 사람은?

20 .

20 .

20 .

정신없는 육아의 현장을 고스란히 전해주는 그림입니다. 이유식을 먹는 어린아이와 엄마 그리고 형, 작은 강아지에 널브러진 신발과 바닥에 떨어진 잡동사니까지…. 그런데 이때, 그림 속 뒤편에서 여유롭게 담배를 물고 있는 사람은 누구일까요?

December

19

자연의 고요함에
귀 기울여본 적 있나요?

20 .

20 .

20 .

희미하고 뿌연 습기가 가득한 듯한 독특한 느낌을 자신만의 방법으로 표현한 화가 조지 이네스의 작품입니다. 평생 지칠 줄 모르는 열정으로 유화 1,150점과 다수의 수채화, 스케치를 남긴 화가죠. 다작을 통해 새로움을 찾아낸 조지 이네스의 열정처럼 우리도 나만의 것을 찾아보는 시간을 갖는 건 어떨까요?

George Inness, *The Home of the Heron*, 1893

Auguste Bernard d'Agesci, *Lady Reading the Letters of Heloise and Abelard*, c.1780

December

20

나에게 3줄 편지를 쓴다면,
어떤 내용일까요?

20 .

20 .

20 .

200년도 더 지난 오래전에 이렇게나 자세히 사람을 표현할 수 있었다는 사실이 놀랍지 않나요? 작품을 볼 때 이미지를 보며 사유하는 것도 좋지만 가끔은 단순하게 '이 시대에 이렇게 그렸다고?'라는 생각부터 시작해도 좋아요. 그림과의 대화는 단순한 것에서부터 시작해 보세요.

December

21

정성껏 키워 본 식물이 있나요?

20 .

20 .

20 .

손을 뻗으면 닿을 것 같은 위치에 꽃 화분이 사실적으로 표현되어 있어요. 테이블만큼 꽃 화분에도 시선이 많이 가네요. 잘 차려진 테이블 주변은 어떤 상황인지 궁금하지 않은가요? 내일 명화에서 볼 수 있답니다.

Henri Fantin-Latour, *Still Life: Corner of a Table*, 1873

Henri Fantin-Latour, *Coin de table*, 1872

December

22

많은 사람이 모인 곳에서 외로움을 느낀 적이 있나요?

어제 본 명화의 배경을 그린 작품입니다. 재미있지 않나요? 테이블에 있는 술병과 과일들이 비슷하죠? 시인, 평론가, 정치가, 화가. 다양한 직업의 사람들이 모여서 이야기를 하는 장면이라고 해요. 그런데 가만히 그림을 보면 서로 눈을 마주치지 않고 있어요. 어떤 생각이 떠오르나요?

December

23

스트레스를 푸는 나만의 방법은?

20 .

20 .

20 .

100여 점 이상의 눈 그림을 남긴 카미유 피사로는 겨울이 오면 떠오르는 화가로 알려져 있습니다. 눈 온 뒤, 밝고 따뜻한 느낌을 굵직한 터치로 시원시원하게 그린 작품을 감상하면서 하루 내 쌓인 스트레스를 날려 보는 건 어떨까요?

Camille Pissarro, *Rabbit Warren at Pontoise, Snow*, 1879
©The Art Institute of Chicago

Henri Matisse, *La Musique*, 1939
©Buffalo AKG Art Museum

December

24

나와 다른 성향의 사람과도 잘 지내는 편인가요?

20 .

20 .

20 .

앙리 마티스는 스케치 없이 이 작품을 그렸기 때문에 많은 수정 흔적이 있다고 합니다. 그림 속 편하게 앉아있는 둥근 방석 위 여자와 리듬감 있게 음악을 연주하는 사각 소파 위 여자의 느낌이 상반되지만 잘 어울리는 느낌이 들어요. 비슷한 듯 다른 두 여성의 차이를 느껴보며 감상해 보세요.

December

25

별을 보면
어떤 생각이 떠오르나요?

20　　.

20　　.

20　　.

Vincent van Gogh, *La Nuit étoilée*, 1888
©Musée d'Orsay

그림 속 인물들은 누구일까요? 빈센트 반 고흐는 이 부분에 대해 특별히 이야기하지 않았다고 해요. 보는 사람의 몫으로 남겨둔 빈센트 반 고흐의 의도가 궁금해집니다.

Piet Mondrian, *Composition with Red, Yellow, Black, Blue and Grey*, 1921

December
26

좋아하는 형태가 있나요?

20 .

20 .

20 .

'인간이 만든 창작물보다 더 중요한 것은 바로 이를 만들어 내는 인간이다.'
- 피에트 몬드리안

December

27

보고 싶은 누군가에게
딱 한 마디를 전한다면?

20 .

20 .

20 .

안정적인 가로 구도의 그림을 보고 있으면 심리적 안정감을 느낄 수 있다고 하죠. 윌리엄 메릿 체이스 특유의 안정적인 구도의 작품을 감상하다 보면 그림을 보는 시간이 늘어나는 듯해요. 마음이 조금 불안한 날 편안한 그림을 보면서 그림과 대화를 나누어 보세요.

William Merritt Chase, *An Afternoon Stroll*, c. 1895
©The San Diego Museum of Art

Henry Farrer, *Winter Scene in Moonlight*, 1869

December

28

추운 겨울밤, 무엇을 하며
시간을 보내고 싶은가요?

20　　　.

20　　　.

20　　　.

달빛이 비치는 겨울의 풍경을 표현한 작품입니다. 차가운 파란색과 흰색이 어우러져 맑고 차가운 겨울 공기를 눈으로 느낄 수 있게 해주네요. 아름다운 겨울밤을 즐겨 보세요.

December

29

결혼사진을 다시 꺼내 보면 어떤 기분이 드나요?

20 .

20 .

20 .

빛바랜 듯한 느낌의 그림 속 두 사람이 보이나요? 손을 잡고 같은 곳을 쳐다보는 듯해요. 아무도 없는 멋진 풍경 속에서 어떤 대화를 나누고 있을지, 상상만으로도 마음 따뜻해지는 그림입니다.

Artist unknown, *Couple Holding Hands in a Field,* 1800-1899
©The Art Institute of Chicago

Julian Alden Weir, *The Grey Bodice*, 1898
©The Art Institute of Chicago

December

30

1년간 수고한 나에게
응원의 한 마디를 건넨다면?

20 .

20 .

20 .

살아있는 듯한 눈빛이 담긴 그림을 보면 작품 속 인물이 말을 거는 듯 느껴져요. 그림 속 인물의 눈을 똑바로 30초 이상 응시해 보세요. 그림이 말을 걸어온답니다.

December

31

내년 계획을 세워보세요.

20 .

20 .

20 .

머릿속에 있는 이미지 대신 실제로 눈에 보이는 순간을 화폭에 담고 싶었던 화가 클로드 모네. 지금은 누구나 아는 이 작품은 처음 인상파 전시에 등장했을 때 비평가들에게 아주 혹독한 평가를 받은 그림이랍니다. 짧은 일기들을 훑어보며 지난 1년의 행복한 그림들을 떠올려보길 바랍니다.

Claude Monet, *Impression, Soleil Levant*, 1872

나에게 쓰는 편지

Q&A Diary; 3년 후 나에게

세상에서 가장 작은 미술관

1판 1쇄 인쇄 2022년 11월 17일
1판 1쇄 발행 2022년 12월 1일

지은이 | 최미연
펴낸이 | 홍성근
기획 이사 | 전희경
기획 · 디자인 | 상:想 컴퍼니 (진행 : 석은주)

펴낸곳 | 유니온북
출판등록 | 제2021-000225호
주소 | 10364 경기도 고양시 일산동구 무궁화로 43-33, 405호
전화 | 031) 994 - 3434
도서 문의 및 기타 문의 전자우편 | heeheeda@naver.com
인스타그램 | unionbook_
ISBN 979-11-978841-0-8 03600

책 값은 뒤표지에 있습니다.
잘못 만들어진 책은 구매하신 서점에서 바꿔드립니다.
「유니온북」은 (주)온에듀의 실용서 단행본 브랜드입니다.

일러두기

본 서적의 그림 정보는 외국어로 작가명, 작품명, 연도, 출처 순으로 정리하였습니다. 서적 내에 사용된 일부 명화는 SACK를 통해 저작권 확인을 받았으며, 일부는 미술관측에 직접 연락하여 저작권 확인을 받았습니다. 작품의 출처는 최대한 찾아 표기하려 하였으나, 일부 작품의 출처는 찾지 못했습니다. 저작권자가 확인되는 대로 동의 진행을 하겠습니다. 또한 작가명 및 작품명 등을 통상적 표기에 맞추었습니다. 국립국어원 표준국어대사전과 다를 수 있음을 알려드립니다. 본 출처 및 저작권, 표기에 대한 문의가 있으시면 연락주시기 바랍니다.